D0257989

Gevangen in de stilte

Andere kinderboeken van Margaret Mahy

Een gat in de lucht (1990)
Olifantekaas en nijlpaardemelk (1990)
Spookbeelden (1991)
De ondergronders (1992)
De baby in de bel (1993)
De bende van Fortuin (1994)
Bijna een Fortuin (1996)
Fortuin gezocht (1996)

Jeugdromans van Margaret Mahy

De inwijding (1987) Carnegie Medal

Margaret Mahy

Gevangen in de stilte

Amsterdam Antwerpen
Em. Querido's Uitgeverij B.V.
1996

Oorspronkelijke titel: *The Other Side of Silence* (Hamish Hamilton, Londen, 1995).

Vertaling: Nan Lenders.

ISBN 90 214 7417 4 / NUGI 222

Alweer voor Penny en Bridget

I

Het ware leven

Wanneer ik de schreeuw voor het eerst hoorde, weet ik niet meer, maar in ieder geval hoorde ik hem zo nu en dan als ik in het bos rond het huis van de Schele van de ene boom naar de andere klom. Hij klonk altijd zwak en ver weg. Ik kwam er maar niet achter wat voor vogel het nou eigenlijk was die zo schreeuwde, en vaak was ik er niet eens zeker van of ik hem wel echt gehoord had.

Ik kan misschien maar beter even vertellen dat ik in die tijd, toen ik twaalf was, zelf nooit schreeuwde. Of beter gezegd, ik praatte haast nooit. Je zou kunnen zeggen dat ik mezelf stil had getoverd. Dat neemt niet weg dat ik, zelfs in het diepst van mijn zwijgen, toch nog steeds een woord-kind was.

En ik kan misschien ook beter even uitleggen dat ik in die tijd, toen ik nog maar twaalf was, twee levens had. Het leven thuis, in ons gezin, was mijn *echte* leven, maar het *boom*leven – dat van heel vroeg in de ochtend, als er nog niemand anders op was, dat was mijn *ware* leven, ook al was het voor een deel verzonnen. Het echte leven, daar moet je voor uitkijken, zeggen ze, maar als je je er werkelijk aan overgeeft, kan een verzonnen leven net zo gevaarlijk zijn.

Elke ochtend liep ik het huis uit en onze straat door naar een park... al bracht ik dáár niet veel tijd door. Maar langs het park liep een muur en aan de andere kant van die muur stond het oude huis van Credence, en dat huis stond midden in een bos.

In Benallan, onze buitenwijk, was de onroerendgoedbelasting zo hoog dat veel van de grote tuinen in kleinere waren opgedeeld. Maar het huis van Credence was nog precies zoals het altijd geweest was. Het zag eruit als een huis uit een sprookjesboek.

Voor het huis strekte zich het bos uit, vol bomen die daar geplant waren en nog een heleboel andere, die er vanzelf waren gekomen... esdoornzaailingen en wilde pruimelaars. Ik klauterde dan altijd over de parkmuur de bomen in, en klom daar omhoog en omlaag – heen en weer, van tak naar tak – naar de overkant van de verwilderde tuin onder me. Alleen de vogels wisten waar ik was – of nee, de vogels én het huis zelf – het huis van Credence, dat naar me keek vanuit één bepaald hoog, wit raam – een melkachtig oog.

Af en toe hoorde ik een ijle kreet – of beter gezegd, dácht ik die te horen. Terwijl mijn oor nog probeerde er vat op te krijgen, loste hij zich altijd op in het niets. Meestal was er niets te horen, behalve de regelmatige ademhaling van de stad ergens achter de bomen. Die ademhaling doorbrak de vroege ochtendstilte niet; het leek er alleen nog stiller door.

En als ik dan een poosje geklommen had hoorde ik, elke morgen weer, de klik van een deur die dichtging en kwam er, ver beneden me, iemand met een duidelijk doel de tuin in. Als ik dan omlaag keek door de uitgestrekte takken, zag ik de eigenares van het bos, mevrouw Credence in eigen persoon, die de dag kwam keuren. Ze hield zo nu en dan even stil om dan hier, dan weer daar wat onkruid uit te trekken – meer voor de vorm, niet om echt wat aan de tuin te doen. Ze droeg altijd een lange zwarte cape en een zwarte hoed met een brede, gebogen rand die haar gezicht verborgen hield voor iemand die van boven af op haar neerkeek. Soms kringelde er van onder de rand rook omhoog. Als ze in de tuin was rookte ze sigaren, dat dacht ik tenminste, en daardoor leek ze een totaal ander iemand dan de mevrouw Credence die ik altijd zag achter het loket van het postwinkeltje van Benallan, zoals postkantoren vandaag de dag genoemd moeten worden. Daar droeg ze steevast kobaltblauwe of mosgroene twinsets en een zilveren medaillon aan een kettinkje en maakte ze iedere argeloze roker erop attent dat er in haar postkantoor niet werd gerookt. Maar hier, vroeg in de ochtend, als ze dromerig over de kronkelende verwilderde paadjes liep, droeg ze altijd de zwarte cape en werd ze achtervolgd door rookslierten. Onder het lopen zwaaide ze met een mand en ze keek maar zelden op naar de bomen. Maar op de een of andere manier had ik het idee dat ze, zelfs al had ze omhooggekeken, mij toch niet had kunnen zien. Mevrouw Credence leefde in een andere ruimte dan dat wonderbare kind dat ik elke morgen werd en dat danste tussen de hemel en de tuin. De grond en alles wat zich pal onder mij afspeelde, mochten dan van haar zijn, maar ik was... ik had mij in mijn verbeelding veranderd in... een geest van bladeren en lucht.

Hoe dan ook, zodra mevrouw Credence verscheen, was in het hele bos het trillen en het huiveren van wachtende vogels voelbaar... mussen, spreeuwen, merels en lijsters. Eenden kwamen haastig en luidkeels kwakend aanwaggelen vanuit de beek die achter haar huis en onder de muur door naar het park liep. Nadat ze de ronde door haar bos had gedaan, kwam mevrouw Credence bij een open plek. Daar greep ze steeds opnieuw in haar mand en strooide handenvol brood in alle richtingen. Een snel klapper-klapper-klapper van vleugels! Binnen een paar tellen stond ze tot aan haar enkels in een levend tapijt van mussen die pikten als opgewonden speelgoedbeestjes; ze waren er allemaal zo aan gewend elke ochtend gevoerd te worden, dat ze onmiddellijk naar beneden vlogen in plaats van voorzichtig, van tak naar tak, te naderen, op hun hoede voor katten, zoals bij ons thuis. De spreeuwen en de merels waren zo brutaal dat ze op de schouders van mevrouw Credence neerstreken, of op haar hoed, of zelfs rechtstreeks in haar mand landden. Wanneer ze het brood helemaal uitgestrooid had, bleef ze roerloos staan, terwijl ik, boven in de bomen, me ook niet meer verroerde. Tenslotte draaide ze zich om en liep terug, met de vogels in haar kielzog tot pal voor haar voordeur. Dat was voor mij ook altijd het einde van mijn ochtendreis.

Omdat de bomen met elkaar vergroeid waren, kon ik van de ene kant van het land van Credence naar de andere klauteren zonder ook maar één voet op de grond te zetten. Op sommige momenten tijdens mijn reis kwam ik dicht bij het huis, ter hoogte van de toren, en dan kon ik het heel duidelijk zien. Het stond midden in een smalle, bochtige, verwaarloosde wei... een verwilderd gazon. Het was omgeven door een brede rand van naar alle kanten uitstekende bladeren en hoge droge stengels, die ooit een tuin waren geweest, en aan weerszijden van de voordeur woekerden dikke bossen verwilderde margrieten. Mevrouw Credence glipte door die deur naar binnen en naar buiten, tussen de margrieten door, als iets wilds dat uit zijn hol komt. Iets fabelachtigs. Wat mijzelf betrof, ik kon me er makkelijk van overtuigen dat ik meer was dan zomaar een klauterende indringer. Als ik eenmaal boven in de bomen zat, veranderde ik in het ware kind van de wilde bossen, iemand die was gevoed en verzorgd door vogels.

Het echte leven

Ik heb al gezegd dat ik, ook al praatte ik niet, een woord-kind was. Maar in ons gezin waren we allemaal woord-mensen. Woorden hadden ons nog maar onlangs naar Benallan gedreven. En de woorden die zoveel invloed hadden gehad, waren de woorden die mijn moeder had geschreven. Annie had theorieën over het grootbrengen van fantastische, begaafde kinderen en was sinds het begin van het jaar docente aan de afdeling pedagogie van de universiteit.

'Ik had nooit gedacht dat ik ooit nog eens in een trendy buitenwijk zou wonen,' zei Annie soms. 'Zijn we yuppies aan het worden?'

'Dat zijn jullie al,' antwoordde mijn broer Athol. 'Alleen yuppen hebben een nummerbord met hun naam erop. RAPPER I.'

'Dat was een cadéáutje,' riep Annie. 'We móéten het wel gebruiken, anders is Rappie beledigd.' Rappie, mijn oma Rapper, had dat nummerbord eigenlijk aan mijn vader Mike gegeven, maar meestal reed Annie in de Peugeot (onze beste auto sinds de grote botsing van drie jaar geleden).

'Gebruik het nummerbord dan voor de Volkswagen,' stelde Athol voor. 'Dan ben je meteen yup af.'

'Yup af, maar des temeer Rapaanvallen,' antwoordde Annie.

Rappie vond dat het in Benallan wemelde van de snobs, maar als ze met niet-familieleden praatte, slaagde ze er altijd in hun te laten weten dat haar zoon er onlangs was gaan wonen en in een Peugeot reed. Maar ik weet wel zeker dat ze er nooit aan toevoegde dat het Annie was die het geld had verdiend waarmee we het nieuwe huis hadden gekocht.

'Maar het is toch heerlijk om zo dicht bij de universiteit te wonen?' zei Annie met een vleiend stemmetje tegen Athol. 'Het is maar tien minuten lopen.'

'Niet voor jou,' zei Athol. 'Jij loopt nooit.'

'Ik moet ook altijd zoveel boeken meenemen,' verdedigde Annie zich en dat was inderdaad waar. 'Niemand realiseert zich ooit hoe sterk boekenliefhebbers moeten zijn, alleen al om van de ene plaats naar de andere te komen.'

Stel dat ik in die tijd in een boek veranderd was, dan had ik willen veranderen in *Het Jungleboek*, het verhaal van Mowgli, een jongen die in de jungle woonde en de taal van de dieren sprak. Of misschien had ik het moeten stellen met *De Geheime Tuin*. Maar waarschijnlijk zou ik veranderd zijn in *Oude Sprookjes*, het boek waaruit iedereen me voorlas toen ik klein was – het boek dat ik in het geheim gebruikte voor goede raad... voor waarzeggerij. Zelfs toen ik al tien of elf was, probeerde ik *Oude Sprookjes* soms te overrompelen, door het zomaar ergens open te slaan en de wijsvinger van mijn linkerhand (mijn waarzegvinger) op het blad te laten neerkomen, en de raad op te volgen van de zin die ik toevallig aanwees. *Antwoord niet, al moet je het met je leven bekopen*, las ik een keer. En: *Als je mij je zorgen niet wil vertellen, vertel ze dan aan het oude fornuis in de hoek.*

Ginevra en Athol, mijn oudere zus en broer, zouden hun toekomstvoorspelling nooit in *Oude Sprookjes* hebben gevonden. Ginevra's lot had misschien uitgeprint kunnen worden door de geesten die in computers wonen. 'Je hebt je een weg gehackt naar het hart van het heelal,' zouden ze haar opeens vertellen, in woorden die zomaar uit het niets opdoken en over het blauwe scherm marcheerden.

En wat Athol betreft weet ik het eigenlijk nog steeds niet zeker. Ik heb het een keer uitgeprobeerd door een zin aan te wijzen in een boek dat hij open had laten liggen op de armleuning van een stoel. 'Is het mogelijk,' vroeg het boek me, 'dat er een ander schaduwuniversum bestaat dat we alleen via gravitatie-effecten kunnen waarnemen?' Het was niet moeilijk om te geloven dat Athol in een schaduwuniversum leefde, ook al verscheen hij iedere morgen aan het ontbijt en ook al zag hij er dan heel gewoon uit.

Mijn kleine zusje Sap tenslotte, die liep in de tijd waar ik over schrijf met haar boek onder de arm. Ze wápende zich ermee. Het was samengesteld door ene Josepha Heifetz Byrne en het heette *Byrnes Woordenboek van Ongebruikelijke, Onbekende en Absurde Woorden.* In die tijd had Sap (een afkorting van Sapphira, wat wel het een en ander zegt over mijn ouders) de gewoonte om een woord uit te kiezen en het op allerlei manieren te gebruiken. 'Jullie schreeuwen als falderappes!' zei ze dan en keek daarbij zelfgenoegzaam de kamer rond. 'Wat ben jij een falievouwer!' Het werd zo irritant dat zelfs Mike niet meer aan Sap vroeg wat dit nieuwe absurde woord nu weer betekende, en zij maar hopen dat iemand ernaar zou vragen. 'Ik ben nu bezig met de letter f,' riep ze dan en even later vertelde ze ons toch wat het woord betekende, of we het nu wilden horen of niet. Natuurlijk zocht ik sommige woorden achteraf stiekem nog wel eens op en Athol ook. Mevrouw Byrne zegt dat een falievouwer een valse vleier is, dus het moet knap moeilijk zijn geweest voor Sap om dat woord in een gesprek te berde te brengen, want veel vals gevlei was er niet bij ons thuis.

In sprookjes verlaten meisjes en jongens hun molen of kasteel of hutje, of waar ze ook in wonen en begeven zich op weg in wouden waar ze veel wonderbaarlijks tegenkomen. Het is er gevaarlijk, daar tussen de bomen, maar er gebeuren verbazingwekkende dingen met sprookjeskinderen. De krachten van het 'kwaad' maken dat ze verlaten worden en verdwalen. Door stom geluk of omdat ze een goed hart hebben, worden ze ontdekt of ontdekken ze zichzelf en trouwen met een prins of prinses. Of soms worden die verdwaalde kinderen kinderen van het woud en leren ze zijn geheime wegennet kennen.

(De Bandar-log, de apenstam uit *Het Jungleboek* had wegen en dwarswegen, heuvel op heuvel af, die soms wel dertig meter boven de grond lagen – zo staat het tenminste in het verhaal. En toen ze Mowgli ontvoerden, een jongen die door wolven was gevonden en opgevoed, kon hij het niet helpen dat hij het wilde geslinger door de bomen heerlijk vond, ook al was het alsof zijn maag door zijn keel schoot, telkens als aan het eind van een zwaai die enge ruk kwam.)

Toen we in Benallan gingen wonen, was Ginevra al het huis uit en werd er niet meer geschreeuwd en met deuren geslagen. Ze had de Fiat, die vóór de Peugeot onze beste auto was, total loss gereden, een botsing waaruit ze zelf, afgezien van een paar blauwe plekken, ongedeerd tevoorschijn was gekomen, en was evandoor gegaan, luid schreeuwend dat ze nog wel wraak zou nemen. ('Wraak, waarvoor?' had Mike haar nageroepen. 'Doet er niet toe. Ik neem wraak,' riep ze. En dat waren de laatste woorden die we haar hoorden zeggen.) Haar wraak was dat ze naar Australië ging. Met de regelmaat van de klok kwam er wekelijks een kaart met een Australische postzegel erop en de mededeling dat ze het goed maakte en hopen geld verdiende. Nooit stond er een adres bij waar je naartoe kon schrijven. En elke week stond er een andere poststempel op. ('Nou ja, in ieder geval heeft ze zich niet verschanst in een of ander boerengat,' zei Athol, terwijl hij een kaart bekeek die van ergens in Queensland kwam.)

Het nieuwe huis leek ruim en zonnig – stil ook, soms. Annie, die altijd praatte, was vaak weg om colleges te geven of een of andere conferentie bij te wonen. Athol, die met zijn doctoraal bezig was, zat uren achter elkaar te werken in het kleine kamertje dat we in die dagen als werkkamer gebruikten. Of hij zat ineengedoken aan het zonnige uiteinde van de tafel over een of ander boek heen te turen met die katachtige glimlach op zijn gezicht en het weerkaatsende licht in zijn brillenglazen. Mike deed al het huishoudelijke werk. Hij zéí dat hij er lol in had, maar dat was nu net een van die dingen waar Rappie razend om werd. Ze kwam bijna elke dag op bezoek, soms al onder het ontbijt, als ze had lopen joggen in het park.

'Waarom zoek jij niet eens een baan nu de kinderen groter zijn?' hoorde ik haar vragen, toen hij haar een kom cornflakes bracht. 'Athol kan na school makkelijk een oogje op Hero en Sap houden.'

'Mam,' antwoordde Mike, 'waarom geloof je me niet als ik je zeg dat ik het best léúk vind om het huishouden te doen? En trouwens, ik wil hier zijn als Sap en Hero uit school komen.'

'Tja, nou, natuurlijk heeft Hero Problemen,' zei Rappie, die het op de een of andere manier klaarspeelde om het woord 'problemen' een hoofdletter 'P' te geven. 'En je weet wie ik daar verantwoordelijk voor stel, nietwaar?' Zij dacht dat het Annies schuld was dat ik niet praatte... een straf voor mijn moeders trots en veelvuldige afwezigheid.

Toen onze oude meubels eenmaal in het nieuwe huis stonden, toen de katten, Wind-Jack en Mengelmoes, zich genoeg thuis voelden om in de nieuwe tuin te mogen, en we erin geslaagd waren om de wasmachine in het washok te krijgen door de deur eruit te halen, begonnen we de straten van Benallan te verkennen. Mike nam Sap en mij mee door Edwin Street (onze straat dus) naar Benallan Drive. Een half blok verder sloegen we Credence Crescent in en zetten koers naar Park Lane. Park Lane mag dan heel interessant klinken, maar in Benallan is hij maar twee huizen lang... huizen met grote tuinen, dat wel. Er staat zo'n doodlopende-weg-bord aan het begin van de laan, en aan het eind, als je nog meer borden bent gepasseerd die honden en motors de toegang verbieden, zie je een speeltuin. Ik gaf niet veel om speeltuinen, maar vroeg in de morgen of 's avonds schommelde ik graag, als ik maar alleen was. Er leek voor mij niets weggelegd dat dichter bij vliegen kwam dan schommelen.

Toen we verder liepen in de richting van het parkhek, verrees links van ons de hoge muur die de tuin van Credence scheidde van de rest van Benallan. Door de jaren heen hadden idealistische studenten allerlei leuzen op die muur gespoten – GEEN KERNWAPENS IN NIEUW-ZEELAND en STEUN DE HOMOBEWEGING, en dat soort dingen. De hele stoep lag bezaaid met bladeren van de bomen die vanaf de Credence-kant over de muur leunden, zodat ik meteen doorhad dat er achter die muur een bos was. En ook een huis, natuurlijk, en een vrouw die in dat huis woonde. Haar vader had boeken geschreven over filosofie en was ooit rector magnificus van de universiteit geweest. Maar de enige nog levende Credence werkte op het postkantoortje van Benallan, waar ze postzegels verkocht en pakjes woog. Niet dat het huis en de vrouw mij belangrijk leken in het begin. Het enige wat telde was het bos.

Telkens als ik ging schommelen probeerde ik steeds weer hoog genoeg te komen om, al was het maar heel even, dat bos in te kunnen kijken, maar het enige wat ik zag waren bomen, bomen, en nog eens bomen die zich tegen de muur verdrongen als gevaarlijke gevangenen die wilden uitbreken en de macht grijpen in de stad.

Na een week of twee in Benallan begon ik er in mijn eentje op uit te trekken. Dan schreef ik op het bord dat Mike aan de keukenmuur naast de ijskast had opgehangen waar ik heen was en vertrok heel vroeg 's ochtends om te kunnen schommelen voordat moeders met hun kleine kinderen naar de speeltuin kwamen. Hoog de lucht in... wieeeeee! En het was waar, net zoals het in *Het Jungleboek* staat, dan kwam die ruk, die aarzeling, aan het eind van de zwaai die... nou ja, die inderdaad mijn maag door mijn keel naar boven liet schieten, maar die me niet echt bang maakte. Nou ja, hálf bang dan, denk ik, maar het was ook lekker spannend. Ik had het gevoel dat ik, als ik maar dapper genoeg zou zijn om los te laten, over de muur heen zou vliegen en in mijn vlucht in iets prachtigs zou veranderen.

Naturlijk liet ik nooit los, maar uiteindelijk, op een morgen toen ik helemaal alleen was, deed ik iets dat in de buurt kwam. Ik ging van de schommel af, keek naar rechts, keek naar links en klom toen in een van de bomen van het park met de bedoeling om gewoon even over de muur te gluren om te zien wat er te zien was.

Een rode kater zat als een schildwacht boven op de muur – zo'n goedaardige kater die denkt dat mensen altijd lief voor hem zijn. Hij begon te spinnen toen ik voorzichtig naar hem toe schoof, dus hield ik even halt om hem onder de kin te krabbelen en hij hief zijn kop wat omhoog en begon nog harder te spinnen.

'Miauw,' zei ik, zó, dat alleen hij het kon horen.

Gebroken flessen stonden boven op de muur als gevaarlijke glaskastelen op wacht. Ik stapte er voorzichtig tussendoor terwijl de kater me kritisch in het oog hield. Glas was geen probleem voor hem. Af en toe ving ik een glimp op van het huis, met zijn verweerde toren, die als een uitroepteken aan het eind van een toverwoord aan het uiteinde van het hoofdgebouw stond. Zowel het woord als het uitroepteken waren gedeeltelijk uitgekrast door takken. Het glas van het raam, dat meeboog met de ronding van de toren, was om de een of andere reden wit geverfd, waardoor het leek alsof iemand witte correctievloeistof had gebruikt om het uitroepteken te veranderen in een vraagteken.

Ik keek diep het bos in, rechts, links, toen weer rechts, voordat ik vooroverleunde, me vastgreep aan een tak en voorzichtig op de tak daaronder stapte. Beide takken bogen, in een vergeefse poging om me af te schudden, door onder mijn gewicht. Maar ik was al in de geheime tuin.

Tuin of bos, het was alsof ik me een weg hier naartoe had gezocht vanaf de eerste keer dat iemand me een verhaaltje had verteld. Onzichtbare paden kronkelden van de ene boom naar de andere; dat wil zeggen onzichtbaar totdat ik een keertje door dat boomdak heen geklauterd was. Daarna waren die paden net zo makkelijk te zien als de lijnen op een handpalm die je wordt voorgehouden.

Ik bleef nooit lang in het bos en was er altijd op mijn hoede. Maar toen de lente begon over te gaan in de zomer, stond ik elke morgen vroeg op en bracht ik het eerste uur van de dag door tussen de takken, waar ik voor mijn gevoel een tijdlang mijn ware leven leidde, voordat ik naar huis ging voor het echte leven en het ontbijt. Mike en Annie dachten dat ik zo vroeg naar de speeltuin ging omdat ik te verlegen was en niet later op de dag op de schommels gezien wilde worden. Ze wisten niet dat de schommels niet meer belangrijk voor me waren.

Het ware leven

Op een ochtend – de ochtend die ik me in het bijzonder herinner – was mevrouw Credence klaar met het voeren van de vogels en was ze alweer terug aan het lopen, toen ze opeens stilstond en de grond voor zich begon te bestuderen alsof ze een voetstap van een buitenaards wezen had ontdekt. Als ze omhoog had gekeken in plaats van omlaag, had ze me makkelijk kunnen zien. Maar tegen die tijd geloofde ik al bijna dat ik werkelijk onzichtbaar was. Ik voelde me veilig in mijn hoge koninkrijk en al deed ik voor de zekerheid een stapje achteruit, ik deed het onvoorzichtig.

Het enige wat ik me herinner is dat ik die stap deed. Daarna niets meer, totdat ik tollend uit het duister naar een felle schittering van zonlicht dook, half verduisterd door een boven mij hangende zwarte driehoek. Ik knipperde en keek nog eens, en langzaam leek een paar magere handen vorm aan te nemen vanuit de donkere driehoek die nog donkerder werd en een zwarte cape bleek te zijn. Het was mevrouw Credence in eigen persoon die op haar hurken voor me zat. Geen wonder dat ik mijn ogen snel weer dichtkneep.

'Je mankeert niets!' zei ze, een stem zo ongeveer ter hoogte van mijn gesloten ogen. 'Je zult wel wat blauwe plekken hebben, maar ik weet zeker dat je niets mankeert.'

Licht gleed naar me omlaag, van blad naar blad, schitterend, vervagend, en dan weer schitterend. De pas opgekomen zon had een opening gevonden tussen de bovenkant van de muur aan de oostkant en de bomen. Mevrouw Credence boog zich naar me toe. Tussen de wijs- en de middelvinger van haar rechterhand hield ze niet een sigaar, maar een lange zwarte sigaret. Ze zou er elegant hebben uitgezien, als haar nagels niet zó kort waren afgebeten dat haar vingertoppen eroverheen bolden. Daardoor zagen ze eruit als de vingers van een boomhagedis.

'Dat is al beter,' zei ze met een aangename, droge stem, bezorgd en tegelijkertijd geamuseerd. 'Alle vogels vallen voordat ze goed kunnen vliegen.'

Ik wist dat ik niet gevlogen had. Ik was gevallen. Ik had pijn. Ik probeerde mijn arm te bewegen en deed mijn mond open, met het idee dat de pijn misschien in verschroeiende vlammen tussen mijn tanden door naar buiten zou slaan. Maar het enige wat naar buiten kwam was het geluid van mijn eigen stem, kreunend en woordloos.

'Ik geloof niet dat je iets gebroken hebt,' ging mevrouw Credence verder. 'Die takken daarboven hebben je val gebroken en... kijk... je hebt je gewroken, want jouw val heeft een paar takken gebroken. Niet dat je echt viel, het was eigenlijk meer alsof je gleed, met wat kunsten vliegwerk op het eind.'

Ik probeerde op mijn ellebogen omhoog te komen, hapte naar lucht als een wezen dat voor het eerst probeert te ademen en gleed toen weer terug. Ik keek in de blauwe ogen van mevrouw Credence en kwam opnieuw stukje bij beetje omhoog, totdat ik rechtop zat. Tot nu toe ging alles knap beroerd! Ik voelde me misselijk, echt misselijk. Zo misselijk dat ik moest overgeven. Ik begon zo hard te kokhalzen dat het pijn deed. Mevrouw Credence duwde mijn hoofd tussen mijn knieën, want dat hoor je te doen met iemand die gaat flauwvallen. Maar ik viel niet flauw en het eten van gisteravond had al een te lange weg afgelegd om zich nog terug omhoog te laten duwen. Het enige wat ik uitbraakte was een boel spuug. Het gekke was dat ik, toen die heftige braakneigingen over waren, ontdekte dat ik alleen al door dat kokhalzen en spugen een stuk opgeknapt was.

'Rustig aan maar,' zei mevrouw Credence. 'Laat het bloed terug naar je hoofd stromen.'

Ik leunde tegen haar aan. Ze voelde aan als een boom.

'De vraag is, wat was je daarboven aan het doen?' ging ze verder. 'Avontuur, misschien? Lol? Ach ja, de avonturen waar we in terechtkomen, zijn vaak niet die waarvoor we in het begin gekozen hebben. Als we al een keus hadden.'

De oude mevrouw Credence, noemden Mike en Annie haar. Ze waren in haar geïnteresseerd, of in ieder geval in het beeld dat ze van haar hadden, omdat ze de dochter was van de grote professor Credence. Maar van dichtbij gezien bleek ze niet veel ouder te zijn dan Annie. Ze zag er niet eens oud uit, maar eerder – ik weet niet – excentriek, denk ik. En als we zeggen dat iemand excentriek is, denken we vaak dat hij ook oud is. Nu, zowat met mijn neus tegen de hare, in plaats van vanuit de bomen neer te kijken op haar hoed, keek ik in een paar ronde blauwe ogen. Eén daarvan was op mij gericht, klip en klaar, het andere tuurde langs me heen en leek zich te concentreren op iets wat niemand anders kon zien.

'Je doet dit al een heel poosje, hè?' ging ze verder. 'Door mijn bomen klimmen! Ik zag op een morgen vanuit de toren hoe je over de muur klom. En soms zag ik je schaduw naast de mijne mee glijden. Ik dacht dat je Jorinda was, de koningin van de vogelmensen, die voor iemand op de vlucht was. Zo, zeg eens, je voelt je al beter, hè?'

Ik zat rechtop en onderzocht mijn armen en benen (zonder ze aan te raken, ik probeerde ze gewoon van binnenuit) en was enigszins verbaasd. Ik was neergeploft op een sponzige matras van bladeren, laag na laag, neergedwarreld gedurende honderd herfsten. Een meter van de plek vandaan waar ik was neergekomen, stak een grote steen uit de aarde omhoog. Ik had er makkelijk op kunnen vallen. Een meter, meer verschil was er niet tussen leven of misschien voorgoed gebroken zijn.

'Nou?' vroeg mevrouw Credence, terwijl ze op haar hielen achteruit leunde. Toen veranderde haar gelaatsuitdrukking ineens. Ze bekeek me nieuwsgierig... aandachtig. 'Ik ken jou, is het niet? Jij bent dat meisje van die mensen die dat huis in

Edwin Street hebben gekocht – dat gezin met die knappe moeder. Jij bent dat dove kind.'

Haar vraag eindigde met een conclusie. Ik knikte alleen maar. Zelfs nu nog ben ik erg goed in knikken.

'Maar je bent helemaal niet doof, hè? Blijkbaar niet! Mevrouw Lindsay... die van de bloemenwinkel op de hoek... heeft me verteld dat je doof was, maar ze heeft het bijna altijd bij het verkeerde eind.' Mevrouw Credence leek de antwoorden zonder enige moeite van me af te lezen. Al pratend ontvouwde ze zich, als een marionet die door onzichtbare draden omhoog werd getrokken, en gaf me haar arm. Ik greep hem beet. Hij voelde pezig en sterk aan onder mijn vingers.

'Kom maar mee, Jorinda, koningin van de vogels. Ik zal iets te drinken voor je halen,' zei ze en samen hobbelden we in een soort vreemde, kreupele dans onder de bomen vandaan in de richting van het huis. De naam *Jorinda* kwam me op de een of andere manier bekend voor, maar dit was niet het juiste moment om daarover na te denken. Heel even vroeg ik me af of ik niet toch dood was gegaan en nu een geest was. Ik wierp een blik over mijn schouder om te kijken of mijn lichaam, helemaal verminkt, onder de boom lag, maar er was niets te zien.

Voor het huis, aan de rand van wat ooit een gazon was geweest, staken uit het hoge gras een tafel en drie stoelen omhoog, allemaal bedekt met fijn groen mos.

'Wacht maar even!' zei mevrouw Credence en zette me heel hoffelijk op een van de stoelen neer, alsof ik bij haar op een feestje was. Eigenlijk deed zitten pijn, maar ja, alles deed pijn. De rug van mijn rechterhand was grijs en blauw geschaafd en op mijn vingers stonden druppeltjes bloed, als edelstenen, gevat in onzichtbare ringen. Ik veegde de edelstenen niet weg... niet meteen. Ik hield mijn bevende hand voor mijn gezicht en keek ernaar door halfgesloten ogen, als een meisje dat haar verlovingsring bewondert.

Bij de deur tikte mevrouw Credence met haar vinger op een klein paneeltje, een modern toetsenbordje onder een metalen roostertje, dat heel raar stond bij dat oude hout en steen. Ze tikte een code in. Ik zag haar de eerste toets indrukken, waarschijnlijk de 1, en toen nog een keer, en dat bleef me bij, omdat haar vinger er precies uitzag als de bek van een vogel en zij mij de koningin van de vogels had genoemd. Daarna toetste ze nog minstens twee andere getallen in en de deur gaf een heel zachte klik en zij duwde hem open. Toen ze terugkwam met een blad met glazen en een bord, voelde ik me al een stuk beter. Ik had nog steeds overal pijn, maar ik voelde me niet meer duizelig of misselijk.

'Ik heb sinaasappelsap voor je meegebracht,' zei ze, 'en om je de waarheid te zeggen heb ik er een eetlepel whisky in gedaan. Niet dat dat goed is voor meisjes, of voor vogels, maar het helpt in noodgevallen. Dat zei mijn vader tenminste en hij was een verstandig man.'

De vruchtencake was nogal hard en oudbakken, maar het sap was lekker. Eigenlijk voelde ik me ondertussen nogal wild en avontuurlijk, zoals ik daar zat, gestriemd door pijn (maar geen ondraaglijke pijn), en met een glas sinaasappelsap voor me met een eetlepel whisky erin. Zo moesten piraten zich voelen na een overwinning op zee.

'Kún je niet praten?' vroeg mevrouw Credence. Ik schudde mijn hoofd, want dat leek me het eenvoudigste. Ik was in de war gebracht door de vreemde, gretige uitdrukking die plotseling op haar gezicht was gekomen, de uitdrukking van iemand die iets heeft gevonden wat niemand anders wil, maar waar zij ineens wel iets in ziet.

'Helemaal niet?' hield ze aan. 'Ach... wat naar voor je Jorinda, én voor je ouders. Geen wonder dat je in een vogel wil veranderen. Ik heb altijd het idee dat vliegen een soort taal is. Niet dat ik zelf vlieg.'

Onder het praten had ze haar aandacht verlegd naar het

overvloedige onkruid naast haar stoel en schopte ze ernaar alsof het haar irriteerde.

'Heb je er ooit over gedacht om een parttimebaantje te nemen?' vroeg ze ineens.

Ik was stomverbaasd. Volkomen onverwacht leek mevrouw Credence me werk aan te bieden.

'Vroeger was dit een prachtige tuin, weet je,' ging ze verder, terwijl ze om zich heen keek. 'Maar het valt mij zwaar om het allemaal bij te houden, en – waarom zou ik doen alsof? Ik ben geen tuinierster. Ik wil het niet eens zijn.'

Ik knikte om te laten zien dat ik het begreep.

'Ik ben erg op mezelf,' ging mevrouw Credence verder. 'Tenminste, ik werk graag op mijn kantoor, op mijn postkantoor bedoel ik (de gezagsdragers mogen het voor mijn part een postwinkel noemen. Maar ik zou nooit in een winkeltje willen werken. Nooit! Een kantoor is iets totaal anders. Dat is professionéél). Hoe dan ook, als ik weer eenmaal hier ben en het hek achter me dichtgaat, ben ik graag op mezelf en ik wil niet dat hier iemand zomaar binnenkomt en vervolgens daarbuiten over me gaat kletsen. Dus, als je het zo bekijkt, ben ik wel te vinden voor een tuinier die helemaal níéts zegt.'

Er werd me werkelijk een baantje aangeboden, al leken baantjes meer te horen bij de wereld daarbuiten, niet bij het bos van Credence.

'Wat vind je ervan?' vroeg ze. 'Knik van ja of schud van nee! Negen dollar per uur.' Negen dollar per uur leek een ongelooflijke hoop geld. Zoveel betaalden onze buren in de Edwin Street de vrouw die twee keer per week hun huis kwam schoonmaken. 'Je moet er natuurlijk wel iets voor doen. Maar tussen de bedrijven door kun je gewoon doorgaan Jorinda de koningin van de vogels te zijn, daarboven in de bomen.'

Niet alleen bood mevrouw Credence me negen dollar per uur, ze was bovendien ook nog een verhaal voor me aan het verzinnen. En ik had het vage gevoel dat ik het verhaal al kende. De naam 'Jorinda' kwam me in ieder geval bekend voor, al leek die koningin van de vogels alleen thuis te horen in het land van Credence.

'Dus knik van ja of schud van nee!' commandeerde ze.

Knikken leek me minder pijnlijk dan mijn hoofd schudden. Of ik het wel leuk vond een naam te krijgen die ik niet zelf gekozen had, wist ik eigenlijk niet, maar het idee van die negen dollar per uur stond me wel aan.

'Niet dat er hier iets vreemds te zien is,' ging mevrouw Credence verder. 'Er is hier niets waarover niet gepraat kan worden, maar ik wíl niet dat erover gepraat wordt. Mijn leven is mijn eigen zaak.' En onmiddellijk wist ik dat haar leven in het postkantoor haar echte leven was, maar haar leven achter de muur haar wáre leven. Toen begon ik me af te vragen of ze haar twee levens met verschillende ogen bekeek. Dat zou haar lichtelijk loensende blik verklaren. Hoe dan ook, ik knikte weer. 'Nou, dan kunnen we het officieel maken,' zei mevrouw Credence. 'Ik zal je moeder bellen.'

Ik kon niet uitleggen... nou ja, légde niet uit dat Annie naar Perth was voor een conferentie en dat zij, mevrouw Credence bedoel ik, te maken zou krijgen met Mike. Niet dat dat er iets toe deed! Wat Mike thuis over ons besliste vond Annie altijd goed.

Een dag of twee later vertelde Mike me dat mevrouw Credence contact met hem had opgenomen en had aangeboden mij in haar tuin te laten werken. Mike was er meteen bovenop gesprongen met de opmerking dat Athol groter en sterker was en per uur meer werk zou kunnen verzetten. Mike en Annie wilden dolgraag dat Athol werk zou zoeken – wat voor werk dan ook – terwijl hij van zins leek de rest van zijn leven niets anders te doen dan te zitten studeren. Hij maakte geen haast met zijn toekomst en zij waren bang dat hij uiteindelijk een en al verstand zou worden, zonder karakter. Hoe dan ook, mevrouw Credence had Mike duidelijk gemaakt dat ze mij wilde, en niemand anders. Daarover had ze naar het schijnt geen twijfel laten bestaan.

'Wat vind je ervan?' vroeg Mike me. Ik knikte. 'Ze heeft het je dus al voorgesteld?' vroeg hij, terwijl hij me nieuwsgierig aankeek. 'Nou ja, het lijkt me een aardige meevaller. Gefeliciteerd.'

'Zo! Dus jij gaat bij Credence werken,' zei Athol toen hij die avond even op mijn kamer langskwam. Er klonk veel meer belangstelling in zijn stem door dan ik van hem verwacht had. 'Dan ga je dus naar het huis van de Schele.'

Dat was een nogal gemeen grapje over de loensende ogen van mevrouw Credence, maar er zat nog meer vast aan die naam. In een volksverhaal dat Mike ons vroeger voorlas uit *Oude Sprookjes*, vertelt ene meneer Vos de een na de ander dat hij naar het huis van de Schele gaat, maar meer krijg je niet te horen, niet over de Schele, noch over diens huis. De Schele kon de naam zijn van een man of een vrouw, het huis kon echt zijn of verzonnen. In het oude sprookje was het een huis waarvan iedereen leek te geloven dat het bestond, maar dat nooit iemand had gezien en je kwam er nooit achter of meneer Vos er werkelijk heenging of alleen maar om de hoek ging staan wachten om de mensen genoeg tijd te geven om in de tas te gluren die hij had achtergelaten. Het was een huis met een naam, maar verder volledig onbekend.

Dus, nadat Athol mij op het idee van die naam had gebracht, gebruikte ik die ook altijd in de boodschappen die ik voor Mike en Athol achterliet op het bord in de keuken. *Ben naar het huis van de Schele. Blijf niet lang.* Als ik eenmaal over de muur was, werd ik Jorinda. *Jorinda.* De naam stuiterde nog steeds in mijn hoofd rond als een verdwaalde echo, maar het licht dat mij daarbij moest opgaan, wilde maar niet komen. Ik bleef de koningin van de vogels want altijd als ik in de tuin werkte, kwam mevrouw Credence mij gezelschap houden, steevast met haar zwarte cape aan en haar hoed op, en ging ze door met de vogelgrapjes waarmee ze begonnen was op het moment dat ik vlak voor haar voeten uit de bomen was getuimeld. En die grapjes, die vreemd genoeg aansloten bij mijn eigen ideeën over mijn leven in de bomen, veranderden in een vervolgverhaal over de vogelkoningin Jorinda en haar grote vijand Nocturno, de vorst der duisternis. Mevrouw Credence vertélde het verhaal niet echt, ze stond, met haar blik op het bos en een sigaret in de hand, meer een eind weg te kletsen en plukte losse deeltjes uit de lucht. En een tijdlang, in het begin, leek het hebben van een naam mijn geheime leven wáárder te maken dan ooit.

Maar toch had het, voordat ik uit de bomen was gevallen, ook wel iets gehad om heerlijk naamloos in het bos van de Schele rond te kunnen klimmen en klauteren. Alle namen achter te kunnen laten, was een soort vrijheid geweest. Als ik nu boven in de takken zat, wist ik dat ik daar móchtzijn en dat ik een schaduw wierp op het koninkrijk onder me. De naam was een lijn waaraan maar een rukje gegeven hoefde te worden om me op mijn plaats te trekken. En als ik nu uit de bomen naar beneden kwam, was het op de een of andere manier net of ik, precies als al die andere vogels, brood ging zitten pikken aan mevrouw Credences voeten. Ik begon heimwee te voelen naar hoe het vroeger was geweest... het komen en gaan, zonder naam en zonder regels.

Toen, op een morgen, vlak nadat ik me niet meer zo op mijn gemak was gaan voelen, ging de deur van ons huis in Edwin Street open en daar stond Ginevra, weer thuis, en niet alleen ook. Maar wat er op die vreemde, drukke zaterdag gebeurde, vond allemaal plaats in mijn echte leven – niet in het binnenste van het bos, maar in het binnenste van ons gezin.

2

Het echte leven

Echt is waar iedereen het over eens is. Waar is wat je diep in je binnenste zeker weet. Tenminste, zo dacht ik er toen over. Het ware leven kon je in- en uitgaan, maar het had geen begin en geen einde. Het echte leven begon altijd met ontbijten.

Ons ontbijt was geen tafelmaaltijd. Iedereen kwam op een ander tijdstip naar beneden, koos uit wat hij wilde eten en at het volgens zijn eigen regels op. Mike, Annie en Sap liepen rond terwijl ze aten, maar Athol en ik hadden vaste plaatsen en hielden ons daaraan. Niemand nam ooit zijn ontbijt mee naar zijn slaapkamer en nu denk ik dat dat kwam doordat we, afgezien van eten, ook allemaal wilden meeluisteren naar elkaars leven.

Een paar van ons deden net of dat niet zo was. Athol zat aan tafel met zijn walkman op zijn hoofd en een groot boek dat rechtop voor hem stond. Hij had een schrift en een pen naast zich liggen en af en toe krabbelde hij iets neer... een of ander feit dat hij bij de kladden had gepakt. Ik stelde me voor hoe dat arme feit daar lag, hijgend en hulpeloos en hoe Athol het meedogenloos in zijn schrift vastprikte, niet zozeer met de punt van zijn pen, maar met een vleespen voor woorden. Elk boek dat Athol las was ongeveer vijfhonderd bladzijden dik. Dat soort dingen controleerde ik vaak als niemand keek.

Er kwamen stemmen binnen door de open deur tussen de eetkamer en de keuken.

'Cornflakes prak je niet,' zei Mike tegen Sap, dus wist ik dat ze in het stadium was gekomen dat ze haar cornflakes met suiker overdekte en ze met de achterkant van haar lepel tot pap prakte. Maar Sap praatte door Mikes opmerking heen, zette, half schreeuwend, zoals zo vaak, de strikte regels uiteen volgens welke haar brood geroosterd diende te worden. Ik hoorde dat ze stond te huppelen, van de ene voet op de andere, in de maat met haar eigen instructies, waarbij ze waarschijnlijk melk uit haar kom cornflakes op de keukenvloer morste.

'Ik wil dat krentenbrood,' zei ze (huppel! huppel!), 'en ik wil het niet donker. Ik wil het gewoon een beetje lichtbruin' (huppel! huppel!) 'en dat de krenten er zo'n beetje zacht... zo'n beetje sméltend... opzitten. En de boter zo dik dat ik hem om de randen kan smouten.'

'Waarom maak je het niet zelf?' stelde Mike voor. 'Dan weet je zeker dat het goed is.' De broodrooster ploinkte. 'Annie!' riep hij. 'Brood klaar!'

'Smouten!' herhaalde Sap luid, omdat ze dacht dat haar onbekende en absurde woord hem ontgaan was. 'Daar heb ik nu pas echt zin in.' Ze wachtte een ogenblik, maar Mike vroeg niet wat het woord betekende. 'Het betekent lekker dik insmeren,' riep ze tenslotte.

Iemand schuifelde achterwaarts over de veranda die langs het eetkamerraam liep. Er klonk een bons toen een lading planken op andere planken werd neergegooid. In het huis, achter de deur naar de hal, kwamen snelle voetstappen naar de eetkamer. Buiten op de veranda begon iemand druk te zagen. Mengelmoes, onze lapjeskat, sprong op de rugleuning van een stoel en Wind-Jack, de pluizige zwarte, sloop laag over de grond de keuken uit, alsof hij zich schuldig had gemaakt aan een vreselijk misdrijf.

Elke morgen scheen het zonlicht door het zijraam van de eetkamer en vulde de ruimte tussen de muur en de zijkant van de blauwe leunstoel. Met mijn kom muesli en een snee geroosterd brood liet ik me altijd neer in die geheime plas goud, met achter me de onderste planken van de kamerhoge boekenkast. Niet dat ik me echt verstopte. Ik hield gewoon van die vlek zonlicht en... niet echt van alléén zijn, maar van het aan de rand van alles zijn, met al die verhalen achter me als rugdekking.

Achter me en net boven mijn hoofd waren twee hele boekenplanken gevuld met exemplaren van hetzelfde boek. *Gewoon-Fantastisch* stond er op de rug en dan, in kleinere druk, *Annie Rapper*. Het waren gebonden uitgaven, verschillende herdrukken, of dezelfde titel in andere talen. Daaronder stonden pockets, tapes, video's... dertig exemplaren van *Gewoon-Fantastisch* in verschillende vormen. Halverwege de derde plank maakten rood met gele ruggen opeens plaats voor glimmende blauwe, iets minder vrolijk, maar dikker en deftiger. *Begaafde Baby's* stond er in witte letters op de rug. *Annie Rapper*. Ditmaal was de naam van de schrijfster groter gedrukt dan de titel van het boek.

Dat waren de planken die je zag als je door de kamer liep, maar eronder, moeilijk te zien door de grote blauwe stoel, waren nog meer planken, vol boeken die van Mike en Annie waren geweest toen ze nog klein waren, en toen van Ginevra en Athol en toen van mij en Sap. *Het Jungleboek*, *De Geheime Tuin*, *Oude Sprookjes* en nog een heel stel andere, met vale letters en loslatende ruggen. *Maak me waar*, zeiden die steeds weer tegen mij. *Maak me waar.*

De deur naar de hal ging open.

'Waar is Hero?' riep Mike vanuit de keuken, terwijl Annie vanuit de hal binnenstormde, lachend en sterk.

'Hallo lieve schatten van me!' riep ze. 'Gelukkige zaterdag!' Athol keek even over zijn bril heen. Ik stak mijn arm boven de armleuning van de stoel uit en wuifde goedemorgen.

Annie ging de keuken niet in, maar stak haar arm door de deuropening en bewoog haar vingers heen en weer, niet om naar iemand te zwaaien, maar om Mike ertoe te bewegen er iets heerlijks in te stoppen. Toen ging de deur naar de veranda open. De wind kwam triomfantelijk naar binnen waaien. De bladzijden van Athols boek begonnen een ritselend geklessebes toen Colin Brett, een van de bouwvakkers, een kleine, lachende man met scherpe trekken, zijwaarts naar binnen kwam schuifelen met een paar dichtgeklapte schragen. De wind blies zijn dunne bruinige haar omhoog en gaf een zacht aaitje over de kale plek op zijn hoofd. Wind-Jack schoot van onder de tafel onder het dressoir, waar hij met een dreigende blik in elkaar gedoken bleef zitten. Hij werd helemaal gek van de aanwezigheid van vreemde mannen en machines in huis. Mengelmoes bleef kalm. Onder haar snorharen zat permanent een smalende glimlach.

'Ik zou die katten maar in de gaten houden,' zei Colin tegen niemand in het bijzonder. 'Katten willen hier nogal eens zoek raken. Die van Oliver, die aan het eind van Credence Crescent wonen, zijn in het afgelopen halfjaar al twee katten kwijtgeraakt... dure katten, een Siamees en een Abessijn. Waarschijnlijk gestolen.'

'Die van ons steelt niemand,' riep Sap die in de keuken haar geroosterd brood stond te smouten. 'Was het maar waar!'

Mike liet een sneetje geroosterd brood tussen Annies wiebelende vingers glijden.

'Nieuwe nagellak?' vroeg hij. 'Vampierbloed?'

Annie grinnikte en klauwde met haar lege hand in de lucht.

'Ik vind het hartstikke mooi staan,' zei Colin, die langs kwam schuifelen.

'Dank je Colin,' antwoordde Annie. 'Da's pas een man met smaak!'

Sinds de bouwvakkers, Colin en Kevin Brett, waren begonnen met het bouwen van een nieuwe bovenverdieping, leken ze zich beter thuis te voelen in de eetkamer dan wijzelf. Ze liepen in en uit en deden allerlei belangrijke dingen die ze niet hoefden te verklaren... nou ja, niet tot in de details. 'Alleen even die oude steunbalken controleren,' zeiden ze dan bijvoorbeeld. Dat soort dingen. Ze maakten grapjes tegen Mike, maar bekeken hem ook met een meewarige blik omdat hij een man was die huishoudelijk werk deed en ze gaven hem handige tips door van hun vrouwen. Bij Annie kwamen ze aanzetten met verhalen over de manier waarop ze hun eigen kinderen opvoedden.

'Duidelijk een expert op het gebied van nagels,' zei Annie.

'Geniet maar van het compliment!' adviseerde Mike Annie nogal knorrig, toen de haldeur achter Colin en zijn schragen dichtging. 'We betalen er weekendtarieven voor.'

Annie ging met haar rug naar de tafel zitten, met haar brood in een sierlijk gebogen hand en vooroverleunend, om te voorkomen dat er beboterde kruimels op haar shirt of haar crèmekleurige jeans vielen. Ze zag er tegelijkertijd chic uit en nonchalant. Haar lange haar, dat een roodachtig bruine kleurspoeling had gehad, lag als een warme slang opgerold boven op haar hoofd. Maar ik vond dat ze er moe uitzag. Die ochtend had ze iets zachts, bijna pappigs over zich, alsof haar vlees zich niet goed aan haar botten hechtte.

'Ga je nou maar niet zitten haasten!' riep Mike als een bezorgde moederhen vanuit de keuken. 'Je moet iedere hap twintig keer kauwen. Je hebt tijd zat.'

'Ik ben wel een beetje zenuwachtig,' gaf Annie toe, terwijl ze om, en af en toe door haar brood heen praatte. 'Dit wordt niet zo'n gemoedelijke, provinciale conferentie waar je automatisch honderd keer meer weet dan alle anderen. Er komen afgevaardigden uit Australië én Amerika! Ik wil er fantastisch uitzien, maar dan wel op een *toevallige* manier fantastisch... alsof ik maar gewoon heb aangetrokken wat er voor het grijpen lag en het per ongeluk geweldig is. Gooi die theedoek eens, lieverd. Dit brood is een pietsie kruimelig. Eén vetvlek en het hele effect is verknald. Ik kan beter iets omdoen.'

'Ga aan tafel zitten,' stelde Mike voor. 'Dat is veiliger... en makkelijker.' Maar toch kwam hij de keuken uit met een theedoek voor haar en bond die zelfs om haar hals, om haar blauwe zijden blouse te beschermen. Ik zag hoe hij haar wang aanraakte, alsof ook hij vond dat haar vlees er maar wat bijhing, in plaats van stevig aan haar skelet vast te zitten.

'Hoe voel je je?' vroeg hij op een zachte, vertrouwelijke toon, bijna zonder zijn lippen te bewegen.

'Ach, je weet hoe het is,' zei Annie. 'Ik overleef het wel! Gelukkig duurt het niet lang.'

'Die... hoe heet ze ook weer, uit Amerika is er ook,' riep Sap, die met alle geweld gehoord wilde worden. 'Professor Barber.' Ze was helemaal op de hoogte van deze conferentie. Wij allemaal trouwens. 'Een stelletje smuigerds.'

'O, dus je bent nu bij de "S" aangeland?' vroeg Mike droogjes; eindelijk nam hij notitie van haar woorden. 'Nog maar acht letters te gaan. Godzijdank!'

'Ha! Ha! Dan begin ik gewoon weer van voren af aan,' waarschuwde Sap hem.

Nu was de beurt aan Kevin Brett om zijwaarts door de deur te komen schuifelen met een stel lange, gehavende planken waarvan de uiteinden over een hoek van de tafel zwaaiden en Athol op een haartje na raakten. Zonder zelfs maar van zijn boek op te kijken, leunde Athol precies ver genoeg naar achteren, dus wist ik dat hij zat te luisteren naar alles wat er om hem heen gebeurde, ook al deed hij net of dat niet zo was.

Door de open deur klonk het geluid van een auto die hard voorbijreed en toen met piepende remmen tot stilstand kwam.

'Opgepast!' riep Kevin, nog steeds met zijn planken in de weer, en nu was het Annies beurt om achteruit te leunen.

'Smuigerd!' riep Sap. 'Een smuigerd is een gluiper, een bedrieger,' voegde ze eraan toe, terwijl ze samen met haar uitleg een paar broodkruimels uitblies en de wind het geluid van stemmen naar binnen droeg.

'Dus iemand die een beetje aan moreel gesmout doet?' opperde Athol, meer om haar in de war te brengen dan om haar aan te moedigen. Misschien realiseerde hij zich dat zijn commentaar bewees dat hij toch had zitten luisteren, want hij boog zich snel voorover om een aantekening te maken in zijn schrift.

De telefoon ging. 'Ik neem wel op,' riep Annie. 'Het zal wel voor mij zijn.' Ze sprong met brood en al overeind, boog om het laatste gedeelte van de voorbijzwaaiende plank heen en glipte een deel van de kamer in waar ik haar niet meer kon zien.

'Annie Rapper,' hoorde ik haar opgewekt roepen. Ze beantwoordde de telefoon altijd met voor- en achternaam. De rest van de familie noemde alleen de achternaam, maar Annie was er altijd zeker van dat zij degene was die gebeld werd en meestal had ze gelijk.

'Carrington!' riep ze. 'Mooi! Ik was net van plan om jou te bellen.' Ik hoorde Mike zachtjes kreunen.

'Carrington!' riep Sap. 'Klere Carrington! Dat is die toch die zo smoor is op mam? Hij wil vast seks met haar.'

'Hou je mond! Zo meteen hoort-ie je!' siste Mike. 'Breng dat academische muizenbrein vooral niet op ideeën. En zeg niet van die lelijke woorden!' voegde hij er snel aan toe, al kon je zien dat hij het eigenlijk niet erg vond dat Sap lelijke dingen zei over Carrington.

'Dat doen ze allemaal,' zei Kevin, die samen met Colin terug richting veranda liep via de keukendeur. 'Soms hoor ik die jongen van mij als hij niet weet dat ik zit te luisteren. Jezus, je haar gaat ervan overeind staan, en het moet van school komen, want zijn moeder en ik zeggen zulke dingen niet, nou ja, niet waar de kinderen bij zijn, in ieder geval.'

Bij die laatste woorden trok hij de deur dicht.

'Als ik zeg dat het bewustzijn gedefinieerd wordt door de taal, dan krijgen we weer dat geargumenteer over wat bewustzijn nou precies is,' zei Annie tegen Carrington. 'Ik geloof dat het in het eerste begin gedefinieerd wordt door tot jezelf gerichte taaluitingen, wat iets anders is dan innerlijke spraak. Innerlijke spraak is een vorm van dromen.' (Het kwam vaak voor dat we in alle vroegte dat soort discussies moesten aanhoren.) 'Laat ook maar! Ik zet het op een diskette en ik zal die uitdraai meebrengen en... wat? O, het programma van het seminar!'

Door de gesloten deur hoorde ik de gebroeders Brett op de veranda 'Morgen. Lekker weertje!' zeggen tegen iemand die het trapje op kwam. 'Gos, wat is er met jóú gebeurd?' voegde Kevin eraan toe met een stem die klonk alsof hij iets werkelijk schokkends zag.

'Het is schítterend weer,' zei een stem zwak maar duidelijk aan de andere kant van de deur. 'Het is heerlijk om te leven.'

Ik geloof dat iedereen in zijn bewegingen stokte. Zelfs Athol, die toch al heel stil zat, leek nog roerlozer te worden.

De deur ging open.

'Hallo allemaal! Hier komt een verrassing!' riep een stem. 'Slacht het vetgemeste kalf. Geen genade voor het beest! Ik ben thuis.'

Ik gluurde om het randje van de stoel. Mike verscheen met open mond in de opening van de keukendeur.

'Er zijn inschrijvingen uit Auckland,' mompelde Annie in de telefoon, maar haar stem had alle belangstelling verloren. Die was helemaal naar haar gezicht gestroomd, dat opeens straalde, geschokt, maar dolblij.

'Kennen jullie me nog?' zei Ginevra.

Ze zag eruit als een in elkaar geslagen engel, hoofd in het verband, linkerarm in het gips en opgehangen in een mitella. Daar stond ze opeens, na een vier jaar lange verdwijning, nog erger toegetakeld dan toen ze wegging, lachend naar ons allemaal en opgetogen over onze verbazing en ontzetting.

Het echte leven

'O, god! Wat is er met jou gebeurd?' riep Annie, nog steeds met de hoorn tegen haar oor. Het waren de eerste woorden die ze in vier jaar tegen Ginevra sprak.

'Alleen maar een beetje creatief de vernieling in gegaan,' zei Ginevra luchtig. 'Niets om je zorgen over te maken.'

Nee, nee! Niet met jou, Carrington.' Annie staarde geërgerd in de hoorn, alsof de verwarde Carrington werkelijk aan het andere eind van de lijn te zien was. 'Gewoon een familieaangelegenheid! Luister, ik moet nu ophangen...'

Ginevra had half een leren jack aan, waarmee ik bedoel dat het over haar linkerschouder gedrapeerd was. De rechterkant van haar gezicht was van een fel blauwachtig rood en zo gezwollen dat het oog niet meer was dan een spleetje tussen opgeblazen oogleden. De andere kant zag uitermate bleek.

'Kleine complicatie in de loopbaan van mijn keuze,' zei ze en trommelde zachtjes met de knokkels van haar rechterhand op het gips om haar linkerarm. De ene helft van haar mond lachte, terwijl de andere helft, in een poging tot opkrullen, geheel verdween in de zwellingen.

'Carrington, ik hang op, goed? Gezinscrisis,' zei Annie ongeduldig.

Ginevra keek naar de open deur.

'Kom maar binnen, Sammy,' riep ze. 'Ze bijten heus niet.'

Er kwam een jongen tevoorschijn. Hij was ongeveer dertien of veertien, ouder dan ik in ieder geval, met een beetje Maoribloed of Zuidzee-eilandbloed, of misschien zelf Spaans bloed. Ik wist het niet. Tamelijk donker in ieder geval, met een trots, knap voorkomen. Hij hield een basketbal onder een arm geklemd en droeg erg grote, wijde kleren.

Voor op zijn T-shirt liep een rij grote letters. *Boston Celtics*, stond er. Hij had een honkbalpet op, half gedraaid, en er kwamen krullen uit die kleine opening boven het elastiek dat normaal achter zit. Aan de zijkanten was zijn hoofd overigens kaalgeschoren. Alleen het haar bovenop had langer mogen groeien.

'Dit is mijn gozer Sam,' zei Ginevra. 'Toen hij hoorde dat ik Rapper heette, wist hij dat we voor elkaar bestemd waren.'

'Ginny, wat ís er nou met je gebeurd?' vroeg Mike. Hij strekte zijn armen uit, liet ze weer omlaag vallen, en strekte ze toen weer half uit, omdat hij Ginevra graag wilde omhelzen, maar bang was voor de mitella en het verband en de zwellingen. 'Wat gebeurt er als ik je aanraak?'

'O, mijn geloof en verbazing houden mij stevig bij elkaar,' zei Ginevra en ze haakte haar goede arm om zijn nek. 'Mooi nieuw huis! Benallan! Deftig hoor.'

'Je vindt het vast heerlijk hier,' zei Mike. 'Plaats zat,' loog hij. 'Tot je zelf woonruimte gevonden hebt, natuurlijk,' voegde hij er lukraak aan toe. Hij was een beetje in paniek.

'Zelf woonruimte gevonden?' riep Ginevra. 'We zijn nog maar net binnen en je probeert ons alweer weg te krijgen?'

'Nee!' riep Mike. 'Nee, absoluut niet! Ik wil gewoon niet meteen weer bezitterig overkomen... je weet wel... te *vaderlijk*. Ach, verdomme!' Maar Ginevra lachte en gaf hem een kus. Annie, nog steeds bezig Carrington af te schudden, stak haar hand met de roodgelakte nagels uit, alsof ze toch ten minste haar vingers aan de knuffel wilde laten deelhebben.

'Oké! Het is een politieke beslissing. Laten we het daar maar op houden,' riep ze uit. 'Carrington! Sorry! Ik moet nu écht ophangen!'

'Leg toch gewoon neer!' opperde Ginevra, terwijl ze haar voor het eerst echt aankeek. 'Toe dan! Bewijs dat je het echt wil!'

'Ginevra, waar heb je in *godsnaam* uitgehangen?' zei Mike.

Toen draaide hij zich om en keek met een wilde blik in de ogen naar de jongen die Sammy heette. 'Ja sorry, – uh – Sammy. Je bent echt van harte welkom. Maar we moeten even...'

'"In godsnaam" is óók een vloek,' riep Sap. 'Ginevra, ik ben het, Sap! Ken je me nog?' Ze huppelde naar Ginevra toe en stak haar armen uit.

'Sap?' zei Ginevra. 'Sammy, ik heb je gewaarschuwd voor mijn kleine zusje, Sap.'

'Ja! Strakjes! Strakjes!' zei Annie, die zich eindelijk van Carrington wist te bevrijden.

'O, Ginevra!' riep ze, nog voor ze de hoorn met een klap op de haak had gegooid. 'Waarom heb je ons niet laten weten...'

'Omdat ik het zelf niet wist!' zei Ginevra. 'Ik was eigenlijk van plan om hartstikke koelbloedig te zijn – gewoon door te karren. Maar ik heb twee ongelukken achter de rug. Het minst erge van de twee was een auto-ongeluk en het ergste was een man... Sammy's vader. Ik bedoel, we hadden wat samen, wij tweetjes, maar nu heeft hij ons laten zitten. Hij is ervandoor, zonder ook maar een adres achter te laten. En nu zijn we dus hier. Maar we zullen jullie niet tot last zijn, afgezien van... je weet wel... het normale schelden en overal vuile kleren laten rondslingeren en zo. Wacht even. Dan haal ik de rest van mijn spullen.'

'Hé, laat mij maar,' zei Sammy met een stem die aan het breken was. Hij en Ginevra verdwenen naar de veranda en botsten in de deuropening bijna tegen elkaar op. De wind bulderde weer naar binnen en liet de gordijnen als gebloemde spoken de kamer in bollen. Mike en Annie keken elkaar aan.

'Voor- of tegenspoed?' siste Annie. Mike trok een grimas, schokschouderde en fluisterde iets terug. 'Wat moet ik nou dóén?' fluisterde Annie wanhopig. 'Kom op! Jij bent goed in leven. Vertel op!' Maar Ginevra kwam alweer over de veranda naar binnen. Een tas die uitpuilde van de vuile was slingerde als een dode prooi aan haar rechterhand. Sammy volgde met een blauwe rugzak over zijn schouder. Nog voor de deur achter haar dicht was begon Ginevra te praten.

'Sammy, nu heb je dus Sap gezien en mijn vader Mike, en zo half en half ook mijn moeder Annie. Nou, die daar, die zich daar aan tafel zo op de vlakte zit te houden, is Athol. Zeg eens hallo, Athol! Ik weet best dat je barst van nieuwsgierigheid.'

'Natuurlijk!' zei Athol, die zijn koptelefoon naar achter duwde zodat die om zijn nek kwam te hangen. 'Ik moest alleen even op adem komen. Je ziet er beeldig uit, zussie. We krijgen er allemaal moeiteloos een schuldgevoel van.' En hij kwam achter de tafel vandaan om haar voorzichtig te omhelzen, alsof ze uit zijdepapier geknipt was. Over zijn schouder viel Ginevra's blik opeens op mij... of in ieder geval op een stukje van mij... genoeg om me te herkennen. 'Aha! Sam, zie je dat oog daar achter die blauwe stoel vandaan gluren? Dat is het oog van Hero, de stilste Rapper ter wereld. Hero, roep eens hallo naar Sammy.'

'Díé roept helemaal niks,' schreeuwde Sap, blij dat ze Ginevra een alarmerend nieuwtje kon vertellen. 'Ze zegt nooit ook maar één enkel woord. Niet één.'

Ginevra keek van mij naar Mike naar Annie, en toen weer terug naar mij.

'Ze is een electief mutistisch kind geworden,' ging Sap verder en het klonk alsof ze citeerde uit haar woordenboek van ongebruikelijke, onbekende en absurde woorden. 'Dat betekent dat ze wel zou kunnen praten als ze zou willen, maar het nooit doet.'

'Daar val jij toch weer even bij in het niet, hè?' zei Athol tegen Ginevra. 'Wat is een gebroken arm vergeleken bij drie jaar stilzwijgen?' Hij lachte plagerig. 'Je arm is toch echt wel gebroken, of niet?'

'O ja, op twee plaatsen,' antwoordde Ginevra afwezig,

alsof ze zich niet druk kon maken om een gebroken arm. ‘Praat Hero nooit? Echt helemaal nooit?’

‘Alleen tegen Athol,’ zei Annie en eindelijk draaide Ginevra zich om en keek haar recht aan.

‘Hoor eens, Annie – wat ons twee betreft –’ begon ze. ‘Laten we vooral even niet proberen om iets díéps te zeggen. Laten we het gewoon even aanzien. De boel de boel laten! De eerste tijd tenminste.’

We keken allemaal toe hoe Ginevra en Annie elkaar omhelsden, net als mensen die zich rond de televisie hebben geschaard om naar het einde van een miniserie zitten te kijken. Maar dit was geen einde. Het was het begin van een nieuwe aflevering.

De deur ging open en Colin Brett kwam weer naar binnen.

‘We zetten alleen nog even dat laatste stukje steiger op zijn plaats,’ zei hij tegen Mike. ‘En dan zijn we helemaal startklaar voor maandagmorgen. Misschien moeten we de stroom nog even uitschakelen, maar dat zeggen we dan wel bijtijds, zodat je weet waar je aan toe bent.’ Dat had hij ons allemaal al verteld. Eigenlijk kwam hij alleen even neuzen om te zien wat er aan de hand was.

‘Ik moet gaan,’ kondigde Annie aan. ‘Je hebt gelijk, Ginny. We moeten niets overhaasten.’ Ze rende naar de haldeur, bleef staan, keek om, opende haar mond, trok een gezicht, deed haar mond weer dicht en verdween in de hal.

‘Wow!’ zei Sap. ‘Ik had gedacht dat ze wel een miljoen keer zoveel zou zeggen.’

Sammy begon met zijn basketbal te stuiteren. Die maakte een verbazend hard, bonzend geluid en Sammy keek schuldig om zich heen voordat hij hem weer opving en terug onder zijn arm stopte.

‘Heb je al ontbeten?’ vroeg Mike hem. Ik zag dat hij niet goed wist wat hij moest doen. Hij wilde zich op Ginevra concentreren, niet op haar aanhang. Maar hij deed zijn best. ‘Heb je trek in iets? Muesli? Geroosterd brood? Thee?’

'Wij eten tegenwoordig worstjes en eieren,' antwoordde Ginevra voor Sammy. 'De boom in met dat gezonde ontbijten!'

'Je ziet er inderdaad niet uit alsof je je gezondheid op de eerste plaats hebt gesteld,' merkte Athol op. 'Hoe ben je hier gekomen?'

'Danny – Danny Stahlman, mijn baas – heeft ons gebracht,' zei Ginevra. 'Ik heb hem binnen gevraagd, maar hij moest snel door naar Dunedin. Eigenlijk was hij blij dat hij van ons af was. In deze toestand ben ik niet echt een aanwinst.'

'Je baas?' zei Mike weifelend, alsof een baas van Ginevra een fabelachtig dier was waar hij nauwelijks aan kon geloven. 'Is hij de vader van Sammy?'

'Ben je belazerd!' zei Ginevra. 'Sammy's vader is de knapste bruut ter wereld.'

'Nou, vertel ons dan eens alles,' stelde Mike voor. 'Wat heb je de afgelopen vier jaar gedaan?'

'Dat is een lang verhaal,' zei Ginevra. 'Dat vertel ik nog wel.'

Annie kwam weer de kamer binnenstuiven met een smal diplomatenkoffertje met goudbeslag op de hoeken, en haar laptop over haar schouder. Ze had een blauw jasje aan met gouden knopen en ze had lipstick opgedaan. Ze mocht dan een spijkerbroek aanhebben, haar hele verschijning had niets toevalligs. Ze had haar gezicht onder handen genomen en was er op een of andere manier in geslaagd om het, voor zo lang het duurde, weer stevig tegen zijn botten te krijgen.

'Wow! Te gek!' riep Ginevra uit en ze deed een stap achteruit en hield haar goede hand boven haar ogen, alsof Annie hitte afstraalde. Maar er was iets wat Annie gewoonweg móést zeggen.

'Ginny,' riep ze, en ze sprak snel, zodat het eruit zou zijn voordat Ginny haar weer met een wijsneuzige opmerking zou onderbreken. 'Ik ben gewoon zo... blíj dat je thuis bent... gewoon hartstikke blij...' Haar stem stierf weg.

'O, verdomme!' riep Ginevra ongeduldig, terwijl ze Annie haar rug toekeerde. 'Begin daar nou niet mee! Zie je dan niet dat ik veel te broos ben om lievigheid aan te kunnen?'

'Ik ben zo blij je te zien...' begon Annie weer, maar weer kon ze het niet afmaken.

'Weet ik! Weet ik!' zei Ginevra. 'Mam, doe nou niet! Dat weet ik toch allemaal, anders zou ik hier niet zijn. Huil nou niet over al die mooie make-up heen.'

Annie sloeg haar armen om Mike heen. Dat deed ze iedere morgen, maar vanochtend had die omhelzing iets anders, iets wanhopigs. 'Sorry dat ik je met de hele handel laat zitten.'

'Schiet op! Wegwezen!' zei Mike lachend. 'Ik kan dat zootje op mijn sloffen aan.'

Hij liet haar niet onmiddellijk wegrennen, maar hield haar vast en veegde een kattenhaar van haar schouder. Toen kuste hij eerst haar ene ooglid en toen het andere.

'Jakkes!' mompelde Sap, die veel over seks sprak, maar van ouders niets kon hebben wat daarop wees. Mike trok er zich niets van aan.

'Niet vergeten!' zei hij tegen Annie, zonder te zeggen waar ze aan moest denken.

'Je bent een engel.' Annies stem klonk alsof ze zichzelf weer volledig in de hand had. 'Tot straks. Ik ga op de terugweg wel even langs de supermarkt. Ik heb het boodschappenlijstje, maar ik neem wel wat meer mee en ook iets extra lekkers. Bel maar naar kantoor als je nog iets anders te binnen schiet. Tina is er dit weekend als steun en toeverlaat, om te fotokopiëren en de dia's klaar te zetten. Zij neemt boodschappen aan. O, en ik ga met de Peugeot.'

'Natuurlijk,' zei Mike gelaten.

De deur ging achter haar dicht.

Strompelend en met een paar scheve sprongen slaagde Ginevra er, met mitella en al, onder enig gekreun in de kamer te doorkruisen en de deur weer achter Annie open te trekken.

'Hé, Annie,' riep ze. 'Weet je waar ik net aan denk? Geloof jij dat we wiskundige ideeën zélf bedenken, of dat we ze ontdékken? Ik bedoel, verzinnen we ze en stoppen we ze dan in de natuur, of zijn ze al in de natuur aanwezig en wachten ze erop om gevonden te worden?'

'O, ha! ha!' riep Annie terug. Dit had ze al eerder gehoord. Wij allemaal trouwens. We hadden het zelfs op video.

Maar toen ik die woorden hoorde, had ik het gevoel dat ik door de wereld om me heen verpletterd werd. Opeens was er te veel aan de hand – hingen de schimmen van te veel oude ruzies in de lucht. En toen waaide er nóg een stem naar binnen. Rappie! Rappie, de herboren jogger, die langskwam voor een ontbijt op zijn Benallans en die waarschijnlijk al haar krachten liep te verzamelen om Annie te bekritiseren, niet met woorden, maar met zijdelingse blikken en veelbetekenende knikjes, omdat ze op een zaterdagochtend de benen nam en Mike met het hele huishouden liet zitten. Ik sprong overeind alsof ik het fijn vond om Rappie te zien, maar eigenlijk wilde ik gewoon wegwezen, naar het huis van de Schele, totdat de grootste drukte weer voorbij was.

'Hero,' riep Ginevra, en haakte haar goede arm in de mijne. 'Je kunt toch niet zomaar de verloren dochter voorbijlopen.'

'Het heeft geen zin om tegen haar te praten,' zei Sap.

'Ze kan toch hóren, of niet soms?' riep Ginevra over mijn schouder, terwijl we elkaar omhelsden. 'En ik kan genoeg praten voor ons tweeën samen.'

Maar inmiddels was Rappie binnengekomen en riep ze: 'Zeker weer een congres!' En tóén zag ze Ginevra en gaf een gilletje. Haar stem veranderde, haar vinnigheid loste zich op, want Ginevra was altijd haar eerste, liefste kleinkind geweest. En te midden van al dat geroep en het geschreeuw van Sap en alle andere drukte, had eigenlijk niemand in de gaten dat ik verdween, mijn eigen zaterdag tegemoet.

'Nou, leuke ontvangst voor je!' hoorde ik Rappie roepen.

Ze kon haast niet geloven dat Annie zomaar was weggereden, alsof Ginevra's plotselinge thuiskomst de gewoonste zaak van de wereld was.

'Niet zeuren! Niet zeuren!' Binnen minder dan twee seconden klonk Ginevra's stem al enigszins ongeduldig. Bij de deur moest ik me langs Sammy wringen, die tegen de muur gedrukt stond en door ons allemaal over het hoofd werd gezien. Sammy en ik keken elkaar in de ogen toen ik langs hem ging, en keken toen allebei snel een andere kant op. De deur was niet helemaal dicht en ik glipte erdoorheen, terwijl WindJack langs mijn enkels schoot om zo snel mogelijk in de struiken in de tuin te verdwijnen.

Wie ik in ieder geval verrastte, waren Colin en Kevin Brett. Daar stonden ze op onze veranda, eentje met een waterpas in de hand, de ander met een zaag, ingespannen luisterend naar ieder woord van deze besloten familiesoap dat onder de deur door drong.

'Hai,' zei Colin met een lachje, min of meer in mijn richting, terwijl hij onmiddellijk de waterpas langs een stuk hout legde en net deed of het dát was waar hij al die tijd mee bezig was geweest.

Ik gleed langs hen heen, het pad af en door het hek naar buiten.

'Ik weet niet hoor,' hoorde ik Kevin zeggen. 'Ze hebben dan misschien een hoop geld verdiend met andere mensen te vertellen hoe ze hun kinderen moeten opvoeden, maar ik denk dat ik ze nog wel een paar tips zou kunnen geven.'

Ik sloeg af in oostelijke richting en liep naar het bos en naar mijn ware leven. Doordat het zaterdag was, en doordat Ginevra zo plotseling was komen opdagen, ging ik veel later in de morgen naar het huis van de Schele dan anders. Maar onder het lopen liet ik me door de noordwestenwind omhullen als door een soort cape en voelde me groeien tot mijn ware grootte.

Het ware leven

Ondanks de fladderende bladzijden en de opbollende gordijnen had ik me niet gerealiseerd hoe hard het waaide. Maar toen ik Edwin Street uit rende, leek de wind mijn stappen onder mijn voeten vandaan te grissen voordat ik ze goed en wel had afgemaakt, zodat ik het gevoel had dat ik op het punt stond te gaan vliegen.

En toen blies de wind het geluid van kinderstemmen naar me toe, bijna alsof hij wist dat ik nooit de speeltuin in zou gaan, en in de bomen zou klimmen, over de muur rennen, over het gebroken glas heen en ertussendoor, als er ook maar iemand me kon zien. In plaats daarvan rende ik nu de afslag naar Park Lane voorbij, en verder Credence Crescent in.

Vóór me gingen garagedeuren en tuinen langzaam de bocht om. Ik rende met grote sprongen verder, langs lage hekken en open poorten. En toen begon de muur van Credence... oude, bemoste stenen, verbrokkelende specie en grassprietjes die uit allerlei kleine scheurtjes groeiden. Ik rende langs DOOD AAN DE PUNKS, een oud opschrift, de rode letters al een beetje bemost, kwam aan bij GEEN KERNWAPENS, en vervolgens PAS IN HET GRAF ZIJN WE ALLEMAAL GELIJK en holde eraan voorbij. *Ginevra thuis!* zei een stem in mijn hoofd, niet mijn eigen stem, maar de stem van een of andere verhalenverteller die altijd bij me was.

Tegenwoordig had ik twee manieren om in het bos van Credence te komen, langs de hoge weg (over de muur), en langs de lage weg, wat betekende dat ik door het poortje aan de voorkant binnenging. Ik had namelijk de code gekregen. Maar terwijl ik doelbewust met grote sprongen op de poort af liep, zaten gedachten aan thuis me op de hielen als een roedel wolven die me met het grootste gemak bijhield.

Ginevra! Ginevra weer thuis! zei de verhaalstem in mijn hoofd. Ik kon de woorden bijna voor mijn ogen langs zien drijven in letters die leken op die in *Oude Sprookjes.*

In de bovenste ronding van de maansikkelvormige Credence Crescent, waar hij weer begon terug te buigen naar Benallan Drive, stonden twee hoge hekken, een en al spijlen en spiralen, bij elkaar gehouden door een roestige ketting en een hangslot dat zo vol zat met vuil en roest dat niemand er ooit nog een sleutel in had gekregen. Niet dat het iets uitmaakte. Die hekken waren nog nooit open geweest sinds wij in Benallan waren komen wonen. Ze waren al jaren niet open geweest. Maar links van de grote hekken, in een smalle uitsparing in de muur, zat een tweede, kleiner hek, hoger dan ik, maar niet veel breder, en in het steen ernaast was een grijs metalen doosje bevestigd. Dat doosje had een deksel dat je kon optillen en eronder zat een reeks kleine toetsen met nummers erop.

De straat, die aan weerszijden van mij wegdraaide, was nog steeds volkomen leeg, maar ik boog me over het doosje heen om het te verbergen voor... ik-weet-niet-wat... voor de wind, of zo, toen ik de code, 0809, intikte en de klik hoorde: het slot in het kleinere hek sprong open. Toen ik tegen het hek duwde, ging het geruisloos open, zwaaide weer achter me dicht en klikte in het slot.

De wind deed de bladeren en struiken schudden en toen ik de rusteloze schaduw onder een dubbele rij oude lindebomen inliep en verder de brede, verwaarloosde oprijlaan in, die bezaaid lag met ovale plassen en geflankeerd werd door duizenblad, zuring en nachtschade, begon ik vogels te horen... niet één enkel lied, maar een mengeling van allerlei soorten getjilp. Voorbij de linden stonden eiken en een paar gombomen en Australische acacia's, en daarachter een rij reusachtige camelia's, die tegen de stenen muur aan de oostzijde van het bos van de Schele opgroeiden. Lang, dun wurggras en broze esdoornzaailingen staken omhoog uit de bosgrond, maar je kon zien dat ze het nooit zouden redden. Ergens achter me hoorde ik het zuchten van de stad; ergens vóór me hoorde ik de harde klap van een deur die werd dichtgeslagen. Het geluid was zo doordringend dat het door me heen leek te snijden. Maar ik aarzelde niet. Ik liep verder het bos door.

En nu merkte ik dat het echte leven vandaag weigerde een stap terug te doen, zoals het anders wel deed. Stemmen van thuis spookten door mijn hoofd. *Ginevra weer thuis!* zei een triomfantelijke stem, maar ditmaal was het niet de stem van de verhalenverteller. Het was de stem van Ginevra zelf.

Als je een boek schrijft waarin je andere mensen vertelt hoe ze hun kinderen moeten opvoeden, dan moet je eigen gezinsleven bewijzen dat je ideeën ook echt werken. Annies eerste boek, *Gewoon-Fantastisch*, deed het heel goed. De uitgever verkocht oplagen in Australië, in Engeland en zelfs in Amerika. 'We hebben het helemaal gemaakt,' zei Annie altijd. 'Er ligt daarginds een enorme markt open.' Ze lachte altijd om haar eigen succes alsof het niet echt belangrijk was, maar toch was haar hele leven ernaartoe gewend, als een zonnebloem die de zon volgt.

In haar boek voerde ze aan dat elk kind ter wereld een soort genie was en tegelijkertijd doodgewoon, en dat, als kinderen op de juiste wijze behandeld werden, het genie als vanzelfsprekend zou opbloeien. Niks bijzonders: het gebeurde gewoon! Als kinderen *grootgelokt* werden (zoals Annie het noemde) zouden ze allemaal uitgroeien tot prachtige mensen. Er zijn wel een miljoen boeken die hetzelfde beweren, maar het boek van Annie werd echt populair. Ik denk dat dat ten dele kwam doordat Annie er zelf zo erg in geloofde en er zo geweldig uitzag als ze erover praatte. Maar dat was het niet alleen. In het begin leek ze over het bewijs te beschikken dat haar ideeën werkten. Het bewijs was Ginevra.

'Je kunt niet aan niets denken,' zegt Ginevra in één televisie-interview (want ze werd wel duizend keer geïnterviewd, meestal in lerarenopleidingen en pedagogische instituten en zo). 'Als je over "niets" nadenkt, verandert "niets" in "iets".'

Ze zegt dat en dan zwijgt ze en lacht. De interviewer lacht terug, moedigt haar aan om verder te gaan. 'Als je eenmaal een náám hebt bedacht voor "niets", heb je het al een beetje echt gemaakt,' voegt Ginevra eraan toe. Ze was toen ongeveer tien, schat ik.

'Hoe zie jij dat, Athol?' vraagt de interviewer met een zachte stem, als in een poging om een verlegen dier niet aan het schrikken te maken. Maar Athol was nooit verlegen. Hij kijkt gewoon opzij naar Ginevra en grinnikt.

'En de ruimte dan?' vraagt hij. In die tijd lispelde hij, al was hij al acht of negen jaar. 'De ruimte heeft een naam, maar het is een naam voor niets.' Zo konden die twee echt praten. Zo praten ze nog steeds, als je ze de kans geeft, al zegt Athol tegenwoordig dat de ruimte wel wemelt van íéts... van virtuele deeltjes, wat dat dan ook zijn... van mógelijkheden.

Hun foto's, afdrukken van oude krantenfoto's, zitten met een punaise tegen de muur achter deze nieuwe computer, Athol die recht de wereld in kijkt en zijn lange glimlach gebruikt om het allemaal op afstand te houden, Ginevra, afgewend en omkijkend over haar schouder, als in een uitnodiging haar te volgen.

Maar ik zou nooit het spoor volgen dat Ginevra uitzette. Ik wilde mijn eigen paden, en waarschijnlijk was dat een van de redenen waarom ik het huis van de Schele bezocht.

Het leek op me af te komen drijven van achter de bomen en tenslotte zag ik het helemaal, zelfs de toren met zijn weggewitte raam.

Ik ging niet meteen naar het huis, maar liep naar het gereedschapsschuurtje, waar ik twee gaffels vond – een grote en een kleine. *Ginevra weer thuis!* zei die stem in mijn hoofd. Ik volgde de ronding van het gazon dat een wei was geworden.

Mevrouw Credence was aan het dansen. Ze stond in de rondte te draaien op een stukje grindpad dat ik de week ervoor had gewied, en floot daarbij zachtjes bij zichzelf. Ik keek naar haar vanaf de andere kant van de ronding van het lange gras. Achter haar, naast de deur, stond een zwarte doos die me aan een camera deed denken. Toen ze zich omdraaide zag ze me, lachte en danste met een paar wervelende passen naar mij toe.

'Ik moest me even uitleven, hoor!' riep ze een beetje verlegen, maar toch ook geestdriftig, alsof ze naar mijn komst had uitgekeken. 'Ik wacht al een hele tijd op je. Je bent laat vanmorgen. Waar waren we gebleven?'

In haar verhaal bedoelde ze... het verhaal dat mij naar binnen had gezogen. Ik zat bijvoorbeeld over een border gebogen te zwoegen over zuring en sterrenmuur, terwijl mevrouw Credence tegen een boom of een muur geleund stond te praten en te gebaren, zodat de lange zwarte sigaret eruitzag als een kort toverstokje, of een potlood dat letters van rook in de lucht schreef. Het verhaal ging bijna over mij... of eigenlijk ging het over Jorinda (de naam die in mijn geheugen opdoemde en weer verdween als licht op een bewolkte dag). De Jorinda van mevrouw Credence was een vogelmeisje dat rondvloog tussen de bomen van een oud bos, achtervolgd door Nocturno, de kwaadaardige vogelvanger. En net zoals Jorinda soms veel van mij leek weg te hebben, leek de schurk soms nogal veel gemeen te hebben met mevrouw Credence. Als hij in het verhaal opdook, klonk haar stem spannender en ze liet hem altijd de interessantste dingen zeggen. En dat niet alleen, de naam Nocturno deed denken aan de nacht, en daar stond zij, boven me, gekleed in haar zwarte cape en hoed.

In deze tijd van het jaar was de grond hard onder een lichte, grijsachtige korst, die tot stof verkruimelde als ik er met de achterkant van de gaffel op sloeg. Soms hielp ik Mike in de tuin, dus ik wist wel iets over onkruid uittrekken en de aarde losmaken rond de planten die eruitzagen alsof ze moesten blijven staan. Ik stond tussen bossen lavendel te werken die tegen de muur van het huis waren geplant, en stapelde nachtschade en zuring op een groen plastic vierkant. Vaak knarsten de tanden van de gaffel en stuitten ze terug van de aarde, die zo hard was samengepakt als steen, maar dan bleef ik maar hakken, woelde de aarde een beetje om, trok de witte, ineengestrengelde wormen kweekgras uit en rolde hele matten klaver weg. De kroontjes van de lavendel, ter hoogte van mijn hoofd, waren niet alleen blauw, maar ook wit en roze. Mevrouw Credence was opgehouden met dansen en liep nu aan de rand van het lange gras op en neer en vertelde haar verhaal.

Opeens bewoog er iets tussen mijn handen... mijn eigen schaduw. Niet dat de zon net was opgekomen, zij was boven een brede wolkenbank verschenen die over de heuveltoppen lag. Brede stralen van goud doorkliefden het bos achter me. Mevrouw Credence onderbrak haar verhaal.

'Het ziet er al een stuk beter uit, vind je ook niet?' riep ze. 'Het helpt écht wat je doet!'

Ik neem aan dat het een béétje hielp wat ik gedaan had, maar als ze het echt beter wilde hebben, had ze een hele volksstam tuiniers nodig, grote maaimachines en kettingzagen, en misschien zelfs graafmachines. Ik had alleen maar een beetje gewied en gesnoeid, met de platte kant van de schop de wildernis wat teruggedrongen en ruimte gegeven aan de brede border van overblijvende planten die rond de voet van het huis groeiden.

'Doe voorzichtig daar, hè? Die klaver is dwars door de campanula's heen gegroeid en het is moeilijk om ze uit elkaar te houden, omdat de stengels zoveel op elkaar lijken,' zei ze. 'Waar was ik gebleven? O ja! Jorinda dook omlaag naar Nocturno. Terwijl ze dat deed, kwam de zon achter haar tevoorschijn. Wat een truc! Toen Nocturno zich omkeerde om achter haar aan te gaan, vielen de eerste stralen recht op hem. Weet je nog dat ik je verteld heb dat zonlicht dodelijk voor hem was? Onmiddellijk begon zijn masker te smelten. Jorinda's adem stokte. Daar, achter dat masker, zag ze...' Mevrouw Credence onderbrak zichzelf. 'Wat is dat daar, aan de andere kant van de campanula's? O, het is *gypsophila... gypsophila paniculata...* het ziet er zo... zo *licht* uit in bloemstukken, niet dat ik me ooit geïnteresseerd heb voor bloemschikken, maar mijn moeder vond het heerlijk. Dat neem ik tenminste aan. Ze deed het vaak. Maar ja, mijn vader moedigde het ook aan. Hij hield van verse bloemen in huis.'

Mevrouw Credence had weer gedaan wat ze wel vaker deed: ze was met haar verhaal op een zeker punt aangekomen en was er toen van weggedeinsd, alsof er in het verhaal iets was waaraan ze zich *gebrand* had.

'Vroeger hadden we een prachtige border van *primula vulgaris*,' zei ze, 'oftewel sleutelbloemen, maar ik heb ze nogal verwaarloosd en, weet je, je kunt ze tegenwoordig bij geen enkele kweker meer kopen. Ik bedoel, ze hebben bij Shelleys tuincentrum wel modérne sleutelbloemen in alle mogelijke kleuren, maar ik vind die moderne, gekléúrde sleutelbloemen geen echte sleutelbloemen...' En toen, nadat ze genoeg belangstelling voor de tuin had geveinsd, ging ze weer verder, maar minder op haar hoede ditmaal.

'Moet je je voorstellen! De zwarte cape en hoed lagen daar helemaal leeg. Nocturno's donkere wijsheid was in het licht gesmolten, en natuurlijk moest híj dan ook smelten. Veel meer dan wijsheid was hij niet. Heb je ooit *De Tovenaar van Oz* gezien?'

Iedereen die ik ken heeft *De Tovenaar van Oz* gezien. Ik wist dat mevrouw Credence dacht aan de scène waar Dorothy water over de heks gooit, die dan helemaal verschrompelt, terwijl ze tegen Dorothy schreeuwt dat ze al haar heerlijke kwaadaardigheid heeft doen smelten. Waarschijnlijk was de heks niet veel meer dan kwaadaardigheid. En hetzelfde gebeurt in die *Star-Wars*films. Obi Wan Kanobi en Yoda smelten allebei weg in een andere toestand, en laten alleen hun lege kleren achter.

'Ik raapte ze op en trok ze aan,' zei mevrouw Credence, opeens met een scherpe stem. 'Ik bedoel, Jorinda trok ze aan. De zwarte cape paste haar precies.'

Ik keek op van mijn werk en staarde naar mevrouw Credence, verbaasd over deze wending van het verhaal en over de verandering van haar stem. Toen ze mijn verbazing zag, stopte ze weer. Ze stond wat onzeker aan de rand van haar gazon. 'Hiervoor zal ik iemand met een elektrische maaimachine laten komen,' zei ze, terwijl ze een vaag handgebaar maakte. 'Daarna kun je het wel bijhouden met een handmaaier.' Dat beloofde ze al vanaf het moment dat ik voor haar was begonnen te werken.

Nu was het gazon één grote massa grasaren. Eén teer goudgroen vlak, dat er in zijn glinstering nu weer wel, dan weer niet leek te zijn boven de echte aardoppervlakte, bijna alsof de dans van atomen en elektronen zichtbaar was geworden. Door de glinstering zag ik groene halmen omhoogsteken en wilde bloemen als piepkleine roze sterretjes, met hier en daar een blauw ertussen, één enkel bloempje op een stengeltje, zo fijn en taai als groen ijzerdraad.

'Ik wil graag dat je iets voor me doet,' zei mevrouw Credence. 'Ik wil dat je een foto van me maakt. Weet je hoe je hiermee moet omgaan?' De zwarte doos naast de deur was dus inderdaad een camera, net zoals ik gedacht had. Ze opende de kleine sluiter voor de lens. 'Er zit een rolletje in, en ze zeggen dat je alleen maar in de zoeker hoeft te kijken, te zorgen dat het beeld tussen de lijntjes zit, en het knopje in te drukken. Het scherp stellen en de belichting regelt hij zelf. Is dat niet prachtig? Ik weet nog dat het vroeger eeuwen duurde voordat er een foto genomen was. Ik had er een hekel aan gefotografeerd te worden toen ik klein was.' Ik nam de camera van haar aan. 'Ga daar maar staan,' zei ze, 'dan kijk ik niet recht in de zon.'

Ik liep naar de plek bij de deur die ze had aangewezen en toen ik me weer omdraaide, een halve seconde later, was de hele wereld veranderd.

Mevrouw Credence hield opeens een geweer onder haar linkerarm en ik zag nog net hoe ze een slachtoffer optilde uit het lange gras van het verwaarloosde gazon waarin het tot dat moment verborgen was geweest. Het was mijn oude vriend de rode kater. Ze hield hem aan zijn staart vast en zijn hoofd schommelde zachtjes heen en weer. Hij was nog niet lang dood. Hij was nog niet stijf. Zijn bekje hing open. Zijn tong stak eruit. Het was een gruwelijk moment, echt en waar, en ik voelde de wereld werkelijk donker worden om me heen. Mijn eigen mond viel open. Ik maakte een geluid, wat ik haast nooit deed, en iets in mijn binnenste begon hevig te trillen.

Mevrouw Credence was geschrokken, ja zelfs geschokt door het geluid dat ik gemaakt had en toen ze de uitdrukking op mijn gezicht zag, veranderde haar gezicht ook. Ze keek omlaag naar de dode kat en het was alsof het haar enigszins verbijsterde om te zien dat zij hem vasthad.

'O, ja... nou...' zei ze. 'Ze jagen op vogels en dat kan gewoon niet. Heel Nieuw-Zeeland was ooit een land van vogels, wist je dat? Niets op vier poten. Niets zonder vleugels. Toen kwamen de mensen met katten en katten zijn niet alleen moordenaars, het zijn ook folteraars. Mijn vader hield deze tuin strikt vrij van katten en ik ben daarmee doorgegaan. En bovendien was hij een jager. Mensen vergeten dat hij dol was op jagen. Maak nu die foto maar.'

Ik moet op de een of andere manier weer controle over mezelf hebben gekregen terwijl ze dit allemaal zei, want ik wist dat diepe trillen binnen in me in bedwang te houden.

Tenslotte zat het land vol met mensen die als vanzelfsprekend dieren afschoten die waren binnengedrongen waar ze niet hoorden. Boeren schoten op honden die langskwamen; mannen van milieubeheer werden betaald om ratten en buidelratten te schieten, en ook een boel katten. Ik had zelfs foto's van ze gezien met hun trofeeën. En trouwens, op dat moment leek het maken van die foto van mevrouw Credence... bijna veiliger. Misschien kwam het doordat Nocturno's eigen stem, een íjzeren stem, via haar gesproken had, maar ik had ook het gevoel dat ik moest zorgen dat alles gladjes verliep en dat ik me dan achter die gladheid zou kunnen verschuilen. Ik nam een foto en daarna nog een, en herinnerde me het doordringende klikgeluid dat ik voor een dichtslaande deur had gehouden. De hele tijd door wist ik dat haar verzoek iets krankzinnigs had, maar doordat de gebeurtenissen elkaar vlotjes opvolgden, was het net alsof ik me in een verhaal bevond, alsof ik het liet gebeuren, en het niet alleen van een bladzijde zat te lezen.

Toen ik de derde foto nam leek het net of ik in een plotselinge windvlaag de schreeuw van de geest van de rode kater hoorde. Het was geen luide schreeuw. Het geluid maakte deel uit van de wind die tegen mijn oor woei en toen weer weg was. Had ik het echt gehoord? Ik wíst dat ik het gehoord had en toen, een tel later, dácht ik alleen dat ik het gehoord had.

Maar mevrouw Credence had de schreeuw ook gehoord. Ze draaide zich met een ruk om en staarde omhoog naar het streepje lucht tussen de muren van het huis en de rand van haar bos, en ze zag eruit alsof God, met uitgeslagen klauwen en een zwiepende staart, vanuit de lucht boven de toren naar haar gemiauwd had.

'Hóórde jij iets?' vroeg ze.

Ik wist niet wat ik moest zeggen en bovendien zou ik het toch niet gezegd hebben. Ik haalde mijn schouders op.

'Ik heb het me vast verbeeld,' zei mevrouw Credence. 'O ja, en voor ik het vergeet, hier is je loon.' Ze stak haar hand in haar zak en haalde een envelop tevoorschijn met mijn naam erop in een ferm, rond handschrift.

Het ging niet alleen om dat betalen. Ik begreep dat ze opeens haar tuin voor zichzelf wilde hebben. Dus nam ik de envelop met een knikje en een lachje aan, en rende tussen de linden door weg, want ik wilde niet via de bomen gaan, niet terwijl zij stond te kijken. De plassen zagen er, toen ik erheen holde, uit als in het rond gestrooide zilveren munten, maar toen ik ze passeerde en omlaag keek waren ze tenslotte toch niets anders dan modderig water. Ik sprong over de gevallen takken heen, met de wind nu, als een hond die me van het stuk grond verjaagde, in de rug en onder het rennen hoorde ik hoe in de verte de stad begon te mompelen, als een buitengesloten tovenaar. Ik was blij de stad te horen en nog blijer dat ik weg was. Ik was geschrokken van mevrouw Credence en geschrokken van wat ik net had gedaan – die foto maken van haar met een dode kat in de hand, bedoel ik. Ik had zo gehoorzaam en ingespannen in de zoeker staan turen dat het leek alsof zij mij had omgekocht en ik haar de toekomst las. Iets aan haar pose, iets opschepperigs en triomfantelijks, had de indruk gewekt dat ze die al heel vaak geoefend had.

Het echte leven

Wat mevrouw Credence gezegd had, was waar. Nieuw-Zeeland was ooit een land van vogels geweest. Ze hadden zelfs op de grond geleefd, omdat ze daar veilig waren. Er waren toen geen vijanden die hen konden doden. In de vroege ochtend had het hele land weerklonken van het vogelgezang.

Maar toen kwamen er mensen, en met de mensen ratten, en zowel de mensen als de ratten aten vogels om in leven te blijven. En toen kwamen er nog méér mensen, en nog weer andere ratten, en toen katten om de ratten te vangen, die in plaats daarvan vogels vingen. Het is raar als je bedenkt dat Ratje in *De Wind in de Wilgen* eigenlijk net zo bloeddorstig was als een hermelijn of een wezel. Hoe dan ook, de mensen brachten ook hermelijnen en wezels mee.

Ik holde verder en naarmate ik dichter bij huis kwam, drong mijn familie zich in mijn gedachten weer op de voorgrond, en vervaagde mevrouw Credence enigszins. De gedaante in het zwart met de bungelende dode kat in haar hand leek meer op een plaatje in een boek dan op een echt iemand. Ik was blij dat ze zo vervaagde, en blij dat ik in plaats van aan haar aan Mike en Annie dacht.

Het echte leven

Mike en Annie hadden elkaar ontmoet op de lerarenopleiding in Auckland.

'Je vader had geen schijn van kans,' zei Annie, als ze Sap en mij onze familiegeschiedenis vertelde. 'Eén blik van mij en, whaaaaam!'

'Ze stak een lange, rooie tong uit en verslond me als een broodkruimeltje,' zei Mike dan met een glimlach naar Annie. 'Het was heerlijk.' En dan lachten ze allebei.

Dus trouwden ze en begonnen hun leven als getrouwd stel beiden als leraar aan de East Coast country school, landinwaarts bij Gisbourne. Toen Ginevra werd geboren ('Was het een moetje?' vroeg Sap. 'Dat zijn onze zaken, niet de jouwe,' zei Mike met een geheimzinnige glimlach), hield Annie op met lesgeven aan de bovenbouw en legde zich erop toe de geweldigste moeder ter wereld te zijn. 'Ik praatte al met Ginevra voordat ze geboren was,' zei Annie altijd als ze het verhaal vertelde. ('Daar ben ik vet mee!' mompelde Ginevra dan. 'Ze hoort zichzelf gewoon graag praten.')

Maar wat Annie zei was nooit zomaar wat gepraat. Ze verzon geheimen, spelletjes, grappen en onthullingen, vertelde Ginevra verhaaltjes, gaf raadseltjes op en zong liedjes voor haar. Als ze haar 's nachts oppakte, keken ze niet alleen naar de sterren, maar staarden ze ook in de ruimtes ertussen.

'We deden alleen maar wat de meeste ouders doen,' legde Annie altijd uit. 'We maakten onze baby het middelpunt van alles. Makkelijk!'

Maar ze zegt het een beetje zelfvoldaner dan ze zelf beseft. En trouwens, Athol zegt dat er geen licht wordt teruggekaatst van de randen van het heelal, dus als je niet zeker kunt zijn van de rand, kun je ook niet zeker zijn van het middelpunt.

Wat ik bedoel is dat het middelpunt dus overal blijkt te zijn. Je bent zelf het middelpunt. En hoe moet het dan met mensen als Athol en ik, die veel meer van randen houden?

Annie vond het heerlijk om het middelpunt te zijn. Ze hield van de wereld. Wat zij deelde met Ginevra was niet gewoon kennis, maar geluk. Als ze haar dochtertje knuffelde, keek ze haar in de ogen en vertelde haar hoe fantastisch het was om te leven, hoe fantastisch zíj was, gewoon door zichzelf te zijn. Dat deed ze met ons allemaal, met mij dus ook, alleen niet zo vaak als met Ginevra omdat ze het tegen de tijd dat ik geboren werd zoveel drukker had gekregen en haar tijd verdeeld moest worden.

Ik geloof dat een beetje van dat alles weer in me omhoogkwam die zaterdag, op weg naar huis in Edwin Street. De wind was wat afgenomen en de gebroeders Brett waren naar huis, naar hun eigen weekendleven. Het laatste deel van de steigers was eindelijk in elkaar gezet en ons hele huis werd omarmd door een skelet van stalen pijpen en planken. Maandag zouden de gebroeders Brett het dak eraf gaan pellen. In de komende week of zo, zou goed weer van het hoogste belang zijn voor de familie Rapper.

Toen ik langsliep, keken de Maxwells, die naast ons woonden, over hun schutting.

'En zeg maar tegen je vader dat dát daar me helemaal niet zint,' zei meneer Maxwell, terwijl hij naar de steigers wees en praatte alsof we midden in een gesprek zaten. 'Als dat klaar is kunnen jullie van boven af zo in onze achtertuin kijken.'

'Tegen haar hoef je dat niet te zeggen,' zei zijn vrouw. 'Dat is die dove.'

'Zijn ze niet allemaal volmaakt?' zei meneer Maxwell sarcastisch. 'Hun moeder heeft toch een vermogen verdiend met andere mensen te vertellen hoe je superkinderen krijgt?'

Zo dachten een heleboel mensen erover, maar Annies eerste boek heette *Gewoon-Fantastisch*, met *Gewoon* op de eerste plaats. En ze had Ginevra ook niet voor zich uit geschoven om reclame te maken voor haar theorieën, al zeiden sommige mensen later dat ze dat wel had gedaan.

Ginevra's roem begon per ongeluk. Een of ander parlementslid had erover geklaagd dat het niveau van wis- en natuurkunde op Nieuw-Zeelandse scholen te laag werd (zo gaat het altijd – alles was altijd zo geweldig in het verleden, voordat wat voor regering dan ook, die we nu gekozen hebben, alles verknalde). Hoe dan ook, het plaatselijke televisiestation had besloten er een item van te maken voor het avondjournaal. Op een ochtend rolden zij hun camera's en kabels Ginevra's klas binnen en Ginevra's leraar koos haar uit om de vragen te beantwoorden.

'Ik weet nog dat ik wiskunde vroeger moeilijk en saai vond,' begon de interviewer, op dat typische toontje dat interviewers gebruiken als ze proberen net te doen alsof ze diep van binnen best begrijpen hoe het is om een kind te zijn. 'Hoe is het tegenwoordig om wiskunde te leren, Ginevra?'

Ginevra's gezicht begon te stralen van blijdschap bij de kans om iets voor de televisie te zeggen.

'Nou, soms vraag ik me wel eens af of wiskunde iets is wat we gewoon verzonnen hebben, of dat het al in de wereld aanwezig was voordat wij het gingen uitzoeken,' zei ze. Natuurlijk herhaalde ze alleen maar iets wat ze ergens gehoord had, maar ze herínnerde het zich toch maar. Het ídee was haar wel bevallen. En het moet verbazingwekkend zijn geweest om zulke woorden te horen uit de mond van een klein meisje.

Ginevra werd een ster op het moment dat dat het beste uitkwam voor Annies boek, *Gewoon-Fantastisch; Help je Kind Dansend door het Leven*, dat een paar weken later in de boekwinkels verscheen, vergezeld van uitvergrote zwart-witfoto's van Ginevra uit dat journaal.

'O god!' zei Ginevra, eeuwen later... jaren later... toen iemand haar vroeg of het boek invloed op haar leven had gehad.

'Wij waren Siamese tweelingen, dat boek en ik, met de navels aan elkaar verbonden. We werden samen in de wereld gezet.'

Ginevra en Athol in de wereld zetten kostte heel wat tijd. Annie en Mike zetten hen in de wereld en lieten hen daar. Annie schreef en doceerde en reisde – soms met haar hele gezin – van conferentie naar conferentie. Het was geen wonder dat ze lang hebben gewacht voor ze nog een kind namen. Er zit zo'n anderhalf jaar tussen Athol en Ginevra, maar het duurde nog eens elf jaar voordat ik werd geboren.

Ik ben erachter gekomen dat er voor Ginevra iets verkeerd begon te gaan toen ik ongeveer vier was, maar ik weet niet echt wat het was. Toen ik eenmaal oud genoeg was om gezinsruzies te kunnen volgen, leek Ginevra op alles en iedereen boos te zijn. 'Ik wilde maar dat ik nooit geboren was,' riep ze voortdurend. 'Waarom hebben jullie mij gekrégen? Waarom had ik geen kéús?' Maar toch was het, zelfs als ze ruzie maakte, overduidelijk dat Ginevra het leven heerlijk vond. Het was net alsof ze nooit zo véél kon leven als ze wel zou willen.

Toen ik bij de veranda aankwam, zag ik Sammy op de bovenste tree staan. Hij lachte zo'n beetje naar me, maar ik wist niet echt wat voor soort lachje het was. Het leek 'sorry!' te willen zeggen, en toen 'lazer op!' – tegelijkertijd een verontschuldiging en een aanval. En toen deed hij iets merkwaardigs. Hij begon te zingen, zacht en snel, terwijl hij de bal liet stuiteren, in zijn handen klapte en hem weer liet stuiteren. Dat geklap en gestuiter vormden, samen met zijn woorden, een pittig ritme.

'Daarbinnen is het oorlog man. Ze schelden als de neten!
Dus wat voor nieuws breng jij nu weer?
En waar heb je gezeten?'

Hij stopte. We staarden elkaar aan. En toen ging hij weer verder met zijn zingen en stuiteren en klappen, maar nu met een soort kronkeldansje erbij, achteruit en vooruit over de bovenste tree. Het dansen en het stuiteren leken hem net zo makkelijk af te gaan als praten.

'De dans die blijft maar dansen en wat beukt dat is de beat,
En ik ben wel een rapper, maar een schijtlaars ben ik niet.
En ik ben niet bang voor zo'n bolleboos die lekker scoort op school,
En ik ben echt geen leeghoofd, ik ben echt geen halve zool!'

Hij begon lichtvoetig van de bovenste tree op die daaronder te springen en weer terug, terwijl hij gewoon doorging met stuiteren en klappen.

'Hé, centrale! Hé, centrale! Verbind me effe door
Dan geef ik je mijn boodschap man, die dans ik je dan voor.
Klap, knal, dat zegt mijn bal.
Ik stuit, 'k roep het uit, door heel 't heelal.
Mij kun je niet belazeren, daarvoor ben ik te link!
Ik de duivel, ik de danser, ik ben een echte coole bink.'

Als je het zo opschrijft slaat het nergens op, maar toen hij daar zo stond te zingen en te dansen en te stuiteren, leek het wel een soort toverspreuk – een bezwering!

Daarna raakte zijn fantasie uitgeput, maar omdat hij zo genoot van mijn verbazing, ging hij nog steeds door met dansen en stuiteren en zijn mond bleef een beetje open. Er schoten hem geen nieuwe woorden meer te binnen en toch voelde je, terwijl hij zich voor mij stond uit te sloven, dat het ritme van woorden als elektriciteit door hem heen stroomde.

Toen klonk er opeens een andere stem, een bekende stem.

'Hé, Hero!' Ik schrok me rot, keek om en de stem siste: 'Ssssst!'

Ik zag niemand. 'Hierboven!' zei de stem luid fluisterend. Het was Sap, die op haar hurken boven op de nieuwe steiger zat. Een korte ladder, gehavend maar nog bruikbaar, leidde vanaf de veranda naar de loopplank, die nu helemaal rond ons huis liep. Ik zag dat Sap haar eigen stadsversie van mijn bos had gevonden. Maar waarom fluisterde ze?

'Waar zat je?' vroeg ze heel zachtjes. 'Het huis van de Schele?'

Ik knikte.

'Het is hier opeens hartstikke spannend geworden.' Ze keek naar Sammy. 'Rara avis! Echt rara avis!' zei ze, weer zo'n absurd woord uit het woordenboek van mevrouw Byrne. Sammy vroeg niet wat ze bedoelde en ik ook niet, maar ze had het de afgelopen dagen al een paar keer gebruikt en dus wist ik dat ze mij op haar manier te verstaan wilde geven dat ze hem het einde vond. Ik kon zien dat ze van plan was om verliefd op hem te worden. Maar Sammy beantwoordde haar blik niet eens.

'Nou, kóm dan!' siste Sap, terwijl ze met haar duim over haar schouder wees naar het punt waar de loopplank de oosthoek van het huis omging en uit het gezicht verdween. 'Ze zitten met zijn allen te praten in de woonkamer en Mike heeft me naar de winkel gestuurd voor wat extra eten, alleen om me weg te krijgen. Maar als we hierlangs klimmen kunnen we ze afluisteren.' En dus klom ik de ladder op naar de steiger. 'Kom op, Sam!' zei Sap met een lief stemmetje, alsof ze al oude vrienden waren, maar Sammy haalde alleen zijn schouders op en liep weg. Sap hield halt bij de eerste hoek van het huis en begon weer tegen me te fluisteren.

'Sammy zegt dat zijn vader hem gewoon gedumpt heeft... en Ginevra ook. Hij is afgetaaid toen Ginevra in het ziekenhuis lag en Danny Stahlman, de baas van het Stock Car Circus, mocht het verder voor hem opknappen.' Sap vindt het leuk om stoer te praten, maar nu wist ik zeker dat ze de woorden gebruikte die Sammy had gebruikt. 'Die dans die hij deed, dat is hiphop. Dat is een soort rap, alleen zegt hij dat het záchter is dan rap; hij zegt dat het niet dat hárde heeft van rap. En hij verzint het allemaal zomaar waar je bij staat. Wreed gewoon.'

Sap probeerde met haar vingers te knippen, maar produceerde niet meer dan een glibbergeluidje. Toen draaide ze zich om en kroop voorzichtig verder en ik volgde haar spijkerbroekachterste de hoek om.

Tenslotte hield ze halt, dus kon ik ook niet verder. We zaten precies boven het raam van de woonkamer, het raam waar elke morgen de zon doorheen scheen, en daar gingen we op onze knieën zitten, zodat we er net uitzagen als twee wijze aapjes. Niet dat er iets kwaads te zien was, of dat we kwaad zouden spreken – nou ja, ik in ieder geval niet – maar we hoopten er, denk ik, allebei op wel wat te hóren. In het raam onder me golfde een vervormde weerspiegeling van Maxwells schutting, donker maar doorzichtig, en als ik dwars door die weerspiegeling heen, heel schuin langs de rand van de loopplank, omlaag keek, kon ik een langwerpig stuk stoel onderscheiden met een stukje boekenplank erachter en zelfs een paar exemplaren van *Gewoon-Fantastisch.*

Langs de bovenkant van het grote raam, een stukje onder de loopplank waar wij op knielden, zat een rij kleine langwerpige raampjes, met scharnieren aan de bovenkant en met van dat ouderwetse bobbelglas erin, waar je niet doorheen kunt kijken. Ze stonden allemaal open en het geluid van stemmen dreef erdoor omhoog.

'En dát heb je de afgelopen vier jaar gedaan?' De stem van Mike! Het klonk alsof hij net iets gehoord had wat hij niet kon geloven. 'Auto's in elkaar rijden?'

'Ja, maar wel op een creatieve manier!' zei Ginevra. 'Ik was de vrouwelijke ster van Danny Stahlmans Stock Car Circus. Heb je geen reclamespotjes voor ons gezien op televisie?'

'We kijken nog steeds geen televisie,' zei Athols stem. 'Annie is doodsbenauwd dat Sap verslaafd raakt aan *Pharazyn Towers*. En dat zou ze zeker. Wij allemaal trouwens.'

'Ik weet niet waar je het over hebt,' zei Ginevra. 'O, wacht even! Ik weet het! Die middagserie. Nou, schrijf maar op de rekening dan. Voor deze ene keer sta ik aan Annies kant.'

'Ach, ik weet niet,' antwoordde Athol. 'Ik bedoel, iedereen loopt te roepen dat het vreselijk is, maar ik geloof niet dat iemand in dit gezin ooit een hele aflevering uitgekeken heeft. En waarom niet? Worden wij gewoon-fantastische Rappers niet geacht te geloven in het zelf ervaren van dingen, in plaats van blindelings aan te nemen wat er gezegd wordt?'

'Het is niks dan een heleboel ontrouw en incest tussen twee rijke families in Auckland,' zei Ginevra. 'En een alledaagse kwaadaardige zakenvrouw die de toekomst van haar eigen beeldschone, zachtaardige dochter ruïneert. Afgrijselijk!'

'Auto's in elkaar rijden lijkt me anders ook behoorlijk afgrijselijk,' zei Mike. Ik dacht dat ik kon horen hoe hij zijn hoofd naar haar schudde.

'Je moet het niet afkraken. Het is toegepaste wiskunde,' zei Ginevra. 'Neem nou bijvoorbeeld zo'n T-bone. Ik ram mijn auto in een andere auto. Tot zover niks aan de hand!' Ik hoorde een klap en stelde me voor dat ze met de vuist van haar ene hand in de palm van de andere sloeg, maar realiseerde me toen dat ze dat onmogelijk kon. Misschien sloeg ze op haar knie. 'Maar... als ik hem in de juiste hoek en met de juiste snelheid raak, dan wipt de auto waar ik in zit recht overeind, zodat hij precies haaks staat op de stilstaande auto. "T" bone! Snap je? Of, als ik de snelheid en de nadering verander, gaat de auto die ik bestuur met een salto over de stilstaande heen. Ik spring eruit, huppel wat rond en maak een buiginkje! Als de mensen voor mij juichen, juichen ze eigenlijk voor de wiskunde.'

'Ik kan mijn oren niet geloven!' riep een andere stem. Rappie had zich kennelijk niet los kunnen rukken uit de gezinshereniging. 'O Ginny, je was zo'n intelligent meisje! Je had kunnen worden wat je maar wilde.'

'Ik ben geworden wat ik wilde zijn,' antwoordde Ginevra verontwaardigd. 'Ik wilde auto's in elkaar rijden, en jullie maakten de eerste keer zo'n heibel (niet dat ik het expres had gedaan) dat ik weg moest lopen en bij het circus moest gaan. En het is heus niet zo makkelijk, hoor. Het is minstens even moeilijk als accountant zijn of ingenieur. Moeilijker!'

'O, dat weet ik wel, liefje, maar... oude auto's in elkaar rijden. Het lijkt zo gewelddadig.'

'Ik bén gewelddadig,' riep Ginevra uit.

'Hoelang ben je al terug in Nieuw-Zeeland?' Athols stem kwam aandrijven van de andere kant van de kamer. 'Ik bedoel, we dachten allemaal dat je ergens in de binnenlanden van West-Australië zat, maar kennelijk ben je alweer lang genoeg hier om te weten waar *Pharazyn Towers* zo'n beetje over gaat. Het is daar in Oz toch niet op de televisie, of wel?'

'Ik ben drie weken terug. Bijna drie weken. Ik heb voor het merendeel in het noorden gezeten,' zei Ginevra. Het was even stil en toen ze weer begon te praten, klonk het alsof ze zich verdedigde. 'Nou, laten we eerlijk zijn, jullie zijn allemaal veel beter af zonder mij. En wat mis ik nu helemaal? Ik kom vanmorgen binnen en er is niets veranderd... helemaal niets! Annie die nog steeds staat te kleppen in dat conferentiejargon van haar. Mike die dat ontbijt staat klaar te maken als een hedendaagse mannelijke heilige en Athol die nog steeds over een groot dik boek gebogen zit en aantekeningen maakt. Jezus, Athol, volgens mij was het exact hetzelfde boek als dat dat je vier jaar geleden al zat te lezen. Ik heb tenminste iets gedaan, ik heb gelééfd, ik ben hier niet blijven zitten waar ik zat.'

'Zou dit ongeluk geen elleboogstootje van het noodlot kunnen zijn? Een teken dat het nu tijd is om een poosje te blijven zitten waar je zit?' vroeg Mike, en hij slaagde erin te klinken als een goede vader, bezorgd, maar niet te kritisch, niet dréigend, of zo.

'Wat? Natuurkundejuf worden op een middelbare

school?' riep Ginevra uit. 'Nee, dank je! Als je met wiskunde hebt geleefd zoals ik heb gedaan, als je je hele leven aan vergelijkingen hebt toevertrouwd, zou het nogal een afgang zijn om ze op een schoolbord te gaan staan schrijven.'

'Wie zei er iets over het onderwijs?' zei Mike. 'Wat dacht je van een baan in de research? Iets in de techniek, bijvoorbeeld? Of haal een bevoegdheid. Er zal toch nog wel ergens een baan voor je zijn. En je was echt briljant, Ginny.'

'Maar niet zo briljant als David Ching,' zei Ginevra en haar stem verscherpte.

'Vergeet David toch!' riep Mike uit en voor het eerst klonk het alsof hij van slag was. 'Vertel me nou niet dat je alleen maar naar huis bent gekomen om onder onze ogen een beetje triomfantelijk zielig te gaan zitten zijn.'

Ginevra gaf geen antwoord.

'Mijn specialiteit is een kleine opeenvolging, *Van Sedan naar Cabriolet in tien seconden*,' zei ze en ze klonk heel zelfvoldaan. 'Ik rij in een oude Sedan met hoge snelheid onder een ijzeren balk door, waardoor de hele bovenkant eraf wordt gerukt. Dat moet je vlekkeloos timen.'

'En wat ging er deze keer dan mis?' vroeg Athol. 'Was je vergeten te bukken?'

'Als ik dat had gedaan, was ik mijn hele hoofd kwijt geweest,' zei Ginevra. 'Nee! Ik heb alleen een doodgewone nadering van een hellingbaan verkeerd beoordeeld... ik had een boel aan mijn hoofd, ik verloor een fractie van een seconde mijn concentratie en wham! Geeft niet! Ik moest er toch nodig eens tussenuit.'

'Nou, dan heb je in ieder geval gekregen wat je nodig had,' zei Athol. 'Van mij moet je niet verwachten dat ik je beledig met medeleven.'

'O, wat zijn we weer gevat,' riep Ginevra. 'Waarom zit jij dan nog steeds thuis krabbeltjes met aantekeningen te maken en laat je al het avontuur aan mij over?'

(Maar voor wie hen hoorde, was het duidelijk dat Athol en Ginevra oude vrienden waren die elkaar uitstekend begrepen.)

'Ik ga mijn doctoraal halen,' zei Athol. 'Nieuw historicisme. Waarom wordt de openbaring door sommige mensen geaccepteerd en door andere verworpen?'

'Saai, saai, saai!' zong Ginevra. 'Dat heeft Annie allang gedaan! Dat is een platgetreden pad! Trouwens, er bestaat niet zoiets als het correcte weten.'

'Dus misschien ben ik zowel lui als intelligent,' zei Athol. 'En misschien is dat op zichzelf wel intelligent. We zullen zien.'

'En hoe zit dat nu met Hero, dat die niet praat?' begon Ginevra opeens over heel iets anders. 'Dat is niet volgens de familietraditie. Dat zal Annie leuk vinden!'

'Het is niet eerlijk,' zei Rappie. 'Die arme Mike heeft zo hard zijn best gedaan met jullie kinderen... nou ja, Annie ook natuurlijk... dus waarom is alles nu zo moeilijk geworden? Ik bedoel, je moet je dat eens voorstellen, dat je een kind hebt dat gewoon niet praat.'

'Hero is fantastisch,' zei Mike, als een vader met een goede, positieve instelling. 'Ze leest. Ze schrijft. En zíj, daar wil ik nog wel even op wijzen, heeft een baantje. Zij wordt betááld.'

'Dat zet mij in ieder geval op mijn plaats,' zei Athol, maar het klonk niet bepaald nederig, en Ginevra riep: 'Ik werd ook betaald, hoor. Sammy en ik zitten best goed in het geld. Ik heb duizenden dollars.'

'Hero gaat wel weer praten als zij daar zelf aan toe is,' zei Mike, maar het klonk als een kleine preek voor ongelovige oren. Ik had hem die boodschap eerder horen verkondigen, maar ik weet niet zeker of hij er zelf in geloofde.

Wanneer ik maar zou willen, zou ik een video kunnen opzetten en zien hoe ik als vijfjarige met een zachte, verlegen stem voorlas uit *Een Kerstverhaal*, en vervolgens lachend opkeek naar de camera, bijna alsof ik net zo'n soort ster was als Ginevra was geweest. De lerarenopleiding had voor Annie een korte documentaire gemaakt over leesprojecten in Nieuw-Zeeland, die ze kon gebruiken als ze in Melbourne een instituut van hoger onderwijs bezocht.

'Ginevra, mijn oudste dochter, is absoluut ons woord-kind,' hoorde ik Annie zeggen tegen iemand achter me, net na dat lachje van me. 'Maar Hero is de stille.' Ik draaide me om en zag dat mijn moeder naar me stond te kijken alsof mijn stilte iets mysterieus was, iets om echt trots op te zijn. Misschien was dat wel precies het moment waarop ik ook trots begon te zijn op stilte.

Het echte leven

Tien minuten later gingen Sap en ik de hoek in de loopplank om naar de achterkant van het huis, waar we indruk op elkaar probeerden te maken door aan de verkeerde kant van de leuning buiten de steiger te gaan hangen.

'Sammy zegt dat zijn vader er de pest aan heeft om aan iemand vast te zitten,' zei Sap. 'Hij móét gewoon zijn eigen gangetje kunnen gaan. Hij wilde Sammy niet, maar Sammy's tante werd het zat om voor hem te zorgen, omdat ze een nieuwe vrijer had, die niks van kinderen moest hebben, vooral niet van jongens.' Het was duidelijk dat Sap een boel vragen had gesteld toen ik naar het huis van de Schele was. 'Zijn tante zette Sam gewoon op een vliegtuig zonder zijn ouwe heer ook maar te laten weten dat hij onderweg was. Sam zegt dat ze bang was dat zijn vader gewoon zou verdwijnen en dat die lui van de kinderbescherming hem zouden vinden en hem naar haar zouden terugsturen... naar die tante, bedoel ik. Of hem in een pleeggezin zouden stoppen. Maar zijn vader hokte samen met Ginevra en Ginevra mocht Sammy wel...' Sap stopte midden in haar zin. 'Spookrijder! Hij komt om het huis heen als een spookrijder!' En ja hoor, daar kwam Sammy over de loopplank naar ons toe, maar uit de tegenovergestelde richting, met de basketbal nog steeds onder zijn arm. 'Misschien is hij een boze geest.'

Sammy bleef op de hoek staan en leunde tegen de muur. Sap begon tegen hem te praten in plaats van tegen mij.

'Ginevra zegt dat ze duizenden dollars heeft verdiend!' zei ze. 'Maar wat is er nou zo geweldig aan het in elkaar rijden van auto's?' Zich vasthoudend aan een van de stalen steunpalen, zwaaide ze er buitenom in een halve cirkel omheen. 'Was ze met je vader getróúwd?'

'Ben je belazerd!' zei Sammy. 'Ze waren gewoon samen.'
'Reed hij ook auto's in elkaar?' vroeg Sap.

'Die, die sloeg alles in elkaar, man,' zei Sammy. 'Doing! Doing! Doing! Ik vind het niet erg dat hij ervandoor is.' Hij liet zijn bal op de loopplank stuiteren. Bop! Bop!

Sap wilde overal het fijne van weten. Ze vond het heerlijk om alles benoemd en op een rijte te hebben, zodat ze het aan andere mensen kon vertellen.

'Gek, hè?' ging ze verder, terwijl ze Sammy aankeek. 'Hero zegt niks en Ginevra zegt alles, maar het pakt allemaal hetzelfde uit. Zo heeft Ginny een keer onze auto in elkaar gereden en dat gaf toen een enorme ruzie. Maar nu zit ze daar binnen over auto's in elkaar rijden te praten alsof het iets rara avis intelligents is om te doen. Eng is dat. En Hero heeft een baantje als tuinier bij mevrouw Credence, dat is een vrouw die in een enorm groot huis woont achter een stenen muur. (Zie je die bomen daar? Nou, daar woont mevrouw Credence.) En Hero gaat naar binnen achter die muur en vertelt nooit één woord over wat er aan de andere kant is. Niet – één – woord! Dat is ook eng.' Ze zweeg, maar Sammy zei niets terug, al keek hij wel in de richting van het golvende groen van het bos van Credence. Sap probeerde het nog eens. 'Blijven jullie lang?'

Sammy trok een gezicht en haalde zijn schouders op.

'Ja, geweldig hoor!' riep Sap ongeduldig. 'Je bent al haast even erg als Hero. Ik zou dóódgaan als ik niet kon praten en alles vertellen. Ik zou opzwellen en opzwellen en ontploffen. Boem! En woorden en bloed en ingewanden zouden omlaag komen vallen...' Ze maakte met wriemelende vingers een sprenkelgebaar, met haar armen stijf voor zich uit gestrekt, net als een klein kind dat in een toneelstukje de regen moet uitbeelden.

'Praat ze nóóit?' vroeg Sammy, terwijl hij naar mij keek. 'Helemaal nooit?'

Sap kon de verleiding niet weerstaan om hem haar theorie voor te schotelen. (Eigenlijk was het Annies theorie, maar Sap had die overgenomen.)

'Het komt doordat Ginevra altijd aan het ruziën was met Annie en Mike. Iedereen maar roepen dat het niet zíjn schuld was, waar het ook om ging, en de anderen maar de schuld geven. Dus! Oké! Al dat schelden en elkaar de schuld geven waren net een karateklap in Hero's hersens. Wham!' Ze demonstreerde het door met de zijkant van haar hand tegen haar eigen voorhoofd te slaan, als een ei dat zijn eigen kopje eraf slaat.

'Kolere,' zei Sammy, terwijl hij me aanstaarde. 'Griezelig!'

Sap keek hoe Sammy naar mij keek. Toen keek ze zelf nog eens naar mij, maar trots ditmaal, alsof ze mij per ongeluk bedacht had. Opeens wilde ik ontsnappen aan dat dubbele gestaar. Ik zag dat onder de loopplank het raam van de werkkamer wijdopen stond. Athol deed vaak de deur op slot als hij zat te werken, maar ik was er zeker van dat ik omlaag kon zwaaien en wel van boven af de studeerkamer in kon glijden.

'Reisde jij altijd met je vader en Ginevra mee?' vroeg Sap aan Sammy. 'Hoe ging dat dan met school?

'Ik ben naar school gegaan toen ik bij mijn neefjes woonde,' zei Sammy. Maar hij had op dat moment geen zin om over zichzelf te praten. Hij stond nog steeds naar mij te staren, terwijl ik me langs de rand van de loopplank omlaag liet zakken. Ik ging op een stalen dwarsstang staan, stapte achteruit en tastte met mijn voet naar de vensterbank.

'Wat doe je nou?' gilde Sap. 'Je gaat vallen. Je gaat vallen hoor! O nee, toch niet,' voegde ze er even later aan toe, toen ik mezelf zo dun mogelijk had gemaakt en erin geslaagd was om onder het glas in zijn kozijn vol spinnenwebben door te glijden, op de zware, gebeeldhouwde, houten kist te gaan staan en vandaar op de grond te springen. Terwijl ik dit deed, had ik het vreemde gevoel dat ik in werkelijkheid aan het oefenen was voor iets anders, iets wat ik van plan was op een dag te gaan doen, maar wat ik aan niemand wilde verklappen, zelfs niet aan mezelf.

In die tijd was de studeerkamer een nauw kamertje met boekenplanken langs alle muren. Mengelmoes lag opgerold te slapen in een la die iemand, waarschijnlijk Athol, open had laten staan. Ze vond het heerlijk om ergens in te liggen. Tegen één muur stond een smalle, oude sofa en ik zag dat iemand, waarschijnlijk Mike, Sammy's rugzak daarop had neergegooid, samen met een blauwe slaapzak. Sammy werd opgeborgen in een kamer waar geen plaats was om te dansen. Ik kon zien dat er niet veel in zijn rugzak zat. Hij lag er slap, in elkaar gezakt bij, ook al had Sammy er niets uitgehaald, en ik vroeg me af of die bal die hij de hele tijd bij zich droeg het enige was wat echt van hem was.

Het grootste deel van het bureau werd in beslag genomen door de computer met zijn toetsenbord en scherm. We hadden toen nog maar één computer en hij was bijna voortdurend in gebruik. Annie gebruikte hem 's avonds en in de weekends (het was er net zo een als op haar werk), en Athol gebruikte hem bijna de hele dag. Hij sloot zich op na het ontbijt en kwam af en toe naar buiten om koffie voor zichzelf te maken, waarna hij weer terugging met een mok koffie met een of twee koekjes erbovenop. Niet dat de studeerkamer voor de anderen verboden terrein was of zo. Het was alleen maar zo dat degene die er zat te werken alleen wilde zijn, naar zijn eigen woorden wilde luisteren, ze wilde vinden en ze dan in het geheugen van de computer wilde vastleggen.

Nu ik door het raam naar binnen kwam leek de studeerkamer net een kamer in het huis van iemand anders. Boeken! Boeken! Boeken! Mappen! Mappen! Mappen! Mengelmoes keek naar me op en miauwde. Ze had een raar mauwtje, want haar bekje ging wel ver open maar er kwam niet meer dan een dun piepje naar buiten. Ik was blij dat ze opgerold lag, niet uitgestrekt was, lekker knus, niet koud, en dat ze nooit ver van huis ging.

Athols schriften lagen naast de computer. De meeste ervan werden met elastiek in een stapeltje bij elkaar gehouden, maar eentje lag apart van de rest. Ik pakte het op en sloeg het zomaar ergens open.

Het was niet wat ik verwacht had. De bladzijde die ik voor me zag leek te zijn opgezet als een toneelstuk, en boven aan de bladzijde sprak iemand die Kate heette.

'Er is een groot verschil tussen dingen verkeerd doen en werkelijk mislukken,' zei ze. 'Een mislukt gezin valt uit elkaar rond zijn eigen fouten. Maar wij buiten onze fouten uit... teren erop. We zijn rampvampieren.'

Dit gesprek, geschreven in een groot, slordig handschrift dat bijna de hele bladzijde vulde, deed me aan iets denken, maar ik wist zo gauw niet aan wat. Buiten hoorde ik stemmen – Sammy en Sap, die het zat waren om nog langer op me te wachten, schuifelden over de loopplank, waarschijnlijk in de richting van de voordeur.

Ik keek nog eens naar het schrift. Het volgende stuk, geschreven met een rode balpen, was iets wat gezegd werd door ene Philip.

PHILIP: Kleine complicatie in de loopbaan van mijn keuze. Mijn geloof en verbazing houden me...

Ik wist hoe de zin eindigde nog voordat ik hem uitgelezen had. Ik had Ginevra vanmorgen precies dezelfde woorden horen zeggen bij het ontbijt.

Er klonken zachte voetstappen in de hal. Een hand viel op de deurklink. Ik klapte het schrift dicht, net voordat Athol binnenkwam en mij op mijn gespioneer kon betrappen. Hij was maar wát verbaasd me daar te zien.

‘Hallo,’ riep hij uit. ‘Hoe is het je gelukt om langs ons te komen?’

Ik spitste mijn oren en hoorde alleen maar stilte in de rest van het huis.

‘Ik ben door het raam gekomen,’ zei ik tenslotte.

Mijn ongebruikte stem verraste me steeds weer. Als ik al praatte, was ik altijd verbaasd over die búlderstem. In mijn gedachten was mijn stem net zo puur en helder als de stem van een vogel. In de buitenwereld klonk hij meer als die van een kikker... een muzikale kikker, maar toch een kikker.

Het echte leven

Athol deed er niet verbaasd of triomfantelijk over dat ik tegen hem praatte en dat kwam niet alleen doordat ik wel vaker tegen hem praatte als we alleen waren. Ik praatte en hij luisterde op een wat afwezige manier, alsof het niks bijzonders was en hij eigenlijk aan iets anders zat te denken. Het kwam door die vage uitdrukking op zijn gezicht dat ik me in staat voelde om te praten zonder te veel van mezelf prijs te geven.

'En wat vind jij er allemaal van?' vroeg hij. 'Dat Ginevra weer thuis is, bedoel ik?'

Ik antwoordde met een vraag. 'Wie was David Ching?' Athol leek in de war. 'Ginevra zei dat ze niet zo briljant was als David Ching.' Wat ik éigenlijk wilde vragen was wat Philip en Kate, de mensen uit zijn schrift, in hemelsnaam te maken hadden met nieuw historicisme, of met wat voor universiteitswerk dan ook.

'David?' zei Athol. 'Davy Ching?' Hij ging op de bureaustoel zitten en liet zich langzaam ronddraaien. 'Heb je ons zitten afluisteren? Davy zat op de middelbare school bij Ginevra in de klas en ging toen tegelijk met haar naar de universiteit.' Terwijl hij ronddraaide zag ik zijn neus, toen zijn oor, toen zijn achterhoofd.

'Was hij haar vriendje of zo?' vroeg ik toen zijn neus weer in zicht kwam.

'Nee,' zei Athol. 'Waar het om ging was dat Ginevra altijd zonder enige moeite de beste van de klas was geweest, totdat in de vijfde Davy opdook, en aan het eind van het tweede jaar op de universiteit haalde hij betere cijfers dan zij.'

'Was ze kwaad?' vroeg ik, vooral om hem aan de praat te houden. Ik dacht dat ik het antwoord al wist, maar Athols antwoorden waren soms verrassend en ook nu verraste hij me.

'Niet kwaad! Maar doodsbang!' antwoordde hij. 'En dát maakte haar natuurlijk kwaad. Weet je, Davy wérkte. Davy werkte hard! Net als ik. Maar Ginevra vond dat er niks meer aan was als je ervoor moest werken. Ik heb zo het idee dat Mike en Annie er vreselijk naast zaten toen ze dachten dat Ginevra graag een slimme meid wilde zijn (wat ze natuurlijk zelf graag wilden, al deden ze net of dat niet zo was). Eigenlijk wilde Ginny een tovenarés zijn. En een tijdlang had het er alle schijn van dat ze dat misschien ook wel was. Ik bedoel, iedereen deed alsof ze er inderdaad een was. Maar toen kwam Davy opdagen, hij haalde haar in, ging haar voorbij en bang! De tovenares was verdwenen. Ginny was alleen nog maar het zoveelste intelligente kind in een wereld vol intelligente kinderen, die haar allemaal inhaalden en van wie menigeen haar voorbijging. Dat was nogal een afgang!'

'Was ze jaloers op hem?' vroeg ik. Athol fronste zijn voorhoofd.

'Ik geloof van niet... nou ja, niet erg,' zei hij tenslotte. 'Ik denk eerder dat ze het gevoel had dat Annie een magisch leven voor haar had opgevoerd, haar beloofd had dat magie mogelijk was, maar het op een of andere manier allemaal voor zichzelf had gehouden. Het punt is...' Athol keek fronsend naar de rand van het bureau en wreef er met zijn duim over. 'Waarom is ze naar huis gekomen? Ginevra, bedoel ik. Het is niet alleen die gebroken arm. Er moet nog iets anders zijn.'

'Hoe weet je dat?' vroeg ik.

'Ik weet het gewoon!' zei Athol. 'Geloof me maar! En het is vast niets geweldigs, anders had ze het ons allemaal allang verteld.' Toen keek hij naar me op, en zijn kalme, bleke gezicht lichtte een beetje op in de schemerige kamer, en hij pakte zijn schrift uit mijn hand. 'Heb je in mijn privé-research zitten lezen?'

'Ik wist niet dat het geheim was,' zei ik en keek waarschijnlijk schuldbewust.

Athol leunde naar voren. Zijn katachtige glimlach was nergens te bekennen. Hij priemde een vinger in mijn richting. Op dat moment vond ik dat hij er dreigend uitzag.

'Ik verraad jou niet,' zei hij. 'Waag het niet om mij te verraden. Niet dat je ooit iets zegt, maar toch, hou je mond!'

Ik knikte en het was bedoeld als een belofte, maar ik mocht doodvallen als ik wist wat Philip en Kate te betekenen hadden, of wat ik nu precies beloofd had niet te zullen verraden.

Athol had zich naar het scherm toe gedraaid en keek ernaar alsof hij er, hoewel het totaal leeg was, de schimmen van woorden op kon zien. Hij drukte op de starttoets en de computer begon op te warmen. *Basisgeheugen*, las ik. *Uitgebreid geheugen, gereserveerd geheugen.*

'Verdomme!' zei Athol. 'Ik kan me vast niet concentreren. Dat weet ik nu al. Vandaag niet. Waar ben je trouwens geweest? Naar het huis van de Schele?'

Ik voelde in de zak waarin ik mijn Credence-geld dacht te hebben gestopt, en schrok me rot. Ik dacht dat ik de envelop vast verloren had bij die klimpartij op de steiger. Maar toen herinnerde ik me mijn andere zak, die ik niet vaak gebruikte, en daar zat hij, veilig en wel, dus kon ik weer opgelucht ademhalen. Ik trok de envelop de voorschijn om hem aan Athol te laten zien en vouwde het briefje van twintig dollar liefdevol open. Door dat werken in te tuin van Credence was ik rijk. Rijker dan Athol waarschijnlijk. Ik bleek zelfs nog heel wat rijker te zijn dan ik dacht te zijn, want wat ik in mijn hand hield was niet één, maar twee briefjes van twintig. Een tweede briefje zat in het eerste gevouwen.

'Jezus!' zei Athol verbijsterd. 'Wat moet je daarvoor doen?'

'Tuinieren en naar verhalen luisteren,' zei ik. 'En foto's maken!' voegde ik eraan toe terwijl er een rilling over mijn rug liep.

Hoewel ik onmiddellijk wist dat ik het extra geld terug moest geven, vond ik op een rare manier ook dat het geld van mij was. Het was mij in het ware leven vrijelijk overhandigd en ik had het verdiend door die afschuwelijke foto te nemen. Bovendien waren de briefjes zo knisperend nieuw, zaten ze zo keurig in elkaar gevouwen, dat het leek alsof ze samen één geheel vormden. Als ik dat geld niet onmiddellijk terugbracht naar het huis van de Schele, zou ik er misschien nooit meer afstand van kunnen doen.

Het ware leven

Laat in de middag, of eigenlijk vroeg in de avond, ging ik terug naar het huis van de Schele. Ik was er nog nooit twee keer op één dag geweest.

De wind was gaan liggen en er waren een paar mensen op straat die een avondwandelingetje maakten en over heggen naar de tuinen van andere mensen keken, of de graffiti lazen op de muur van Credence. Maar nu die andere ontdekkingsreiziger, die rode, dood was, was ik de enige die iets wist over wat er achter die stenen schuilging.

Geen van de mensen die ik passeerde toonde enige belangstelling voor mij en ik was niet in hen geïnteresseerd. En toch was ik er zeker van dat iemand me in het oog hield. Bij iedere stap die ik deed leek het of mijn schouder lichtjes werd aangeraakt door iemands belangstelling. Ik keek om. Niets! Toen, bij de hoek van de Park Lane, draaide ik me nog eens vliegensvlug om en speurde naar alle kanten. Niets! Niemand en niets! Zelfs geen zeemeeuw. Ik vroeg me af of ik mezelf soms op een of andere manier liep te bekijken, en zei: 'Ja, daar gaat ze! Jorinda gaat weer vliegen! Ze gaat voor de tweede keer op één dag naar het huis van de Schele. Ze gaat voor het eerst voor de tweede keer.'

Er waren een boel mensen in het park. Sommige liepen te wandelen, andere langs de rand te joggen, en een hele groep speelde zo'n spel waarbij twee teams om de beurt tegen een bal slaan en rennen. Maar de speeltuin was leeg. Ik klom in de boom in de hoek, rende over de muur, over en door het gebroken glas, schoof voorzichtig op de tak die ik altijd gebruikte, waardoor hij een beleefde buiging maakte onder mijn gewicht, stapte over op een andere tak en bereikte tenslotte mijn wegennet door de bomen. En ook al was ik gekomen met een praktisch doel, toch veranderde ik daarboven, al was het maar voor een paar minuten, opnieuw in het wilde meisje van het bos van de Schele... dat meisje dat zonder namen en mensentaal kon, dat meisje dat met dieren en vogels kon praten. Op dat moment wist ik het niet, maar het was de laatste keer dat de bomen mij ooit nog ondere hun betovering zouden hebben. Ik zou nooit meer dat wilde kind zijn. Mijn ware leven stond op het punt te veranderen, maar hoe waar dat leven voor mij ook was, toch was het uiteindelijk ook een droom geweest.

In *Het Jungleboek* wordt Mowgli door wolven grootgebracht en praat hij met wolven. Er zijn echt wilde kinderen geweest die onder de dieren leefden, maar geen meisje dat werd grootgebracht tussen de bomen leerde ooit zingen of vliegen als een vogel. In het echte leven zou Mowgli een zogenaamd dierlijk kind zijn geweest en zijn wolfachtigheid zijn menselijke ondergang. En hoe hard ik ook mijn best deed om binnen te dringen in het magische leven dat ik voor mezelf had bedacht, hoezeer ik het ook gedwongen had waar te zijn, het had mij nooit helemáál toegelaten. En nu stond het op het punt om voorgoed opgeheven te worden.

Ik zigzagde heen en weer tussen de bladeren, stapte lichtvoetig omhoog, zwaaide omlaag, klom toen zo hoog als ik kon totdat ik door de bladeren heen brak, met open mond, om het geluidloos uit te schreeuwen naar de lucht, of misschien om hem in te ademen. Hoe dan ook, ik vulde mezelf met geluk. Pas toen ik dat gelugsgevoel had opgebruikt, baande ik me voorzichtig een weg naar de boom bij het gereedschapsschuurtje, stapte op het schuine dak en liet me aan de achterkant naar beneden glijden, waar het dak tot vlak boven de grond kwam. En toen ik me omdraaide naar het huis zag ik iets wat ik nog nooit eerder had gezien. De voordeur van het huis van de Schele stond open.

Ik kan je niet zeggen hoe geheimzinnig die doodgewone open deur er in mijn ogen opeens uitzag.

Ik had hem gehoorzaam open en dicht zien gaan achter mevrouw Credence, maar ik had hem nog nooit wagenwijd open zien staan. Ik sloop dichterbij, van de ene boom naar de andere. Het licht van binnen wierp een gele rechthoek over de drempel en op het grind en het gras buiten. Ik glipte de wei over die ooit een gazon was geweest. Grasaren streelden langs mijn knieën en toen stond ik aarzelend op de drempel en keek door de schaduwen een verlichte gang in.

Daar hing mevrouw Credence. Ik zag heel duidelijk haar hoed, die een beetje schuin stond, en de plooien in de zoom van haar cape, die een heel stuk boven de grond bungelde. Ik stond er doodsbang naar te staren, toen ik zag dat zowel de hoed als de cape leeg waren.

Over een schaakbord-vloer van zwarte en witte tegels was een vierkant stuk oud tapijt gespreid. Ik zag een paraplubak, en een groot, dreigend meubelstuk... een spiegel in een omlijsting van bestoft hout met houten haken waaraan niet alleen de zwarte cape en hoed van mevrouw Credence hingen, maar nog meer ouderwetse jassen. Ik had een uitstekend excuus om hier te zijn, want ik kwam immers de twintig dollar terugbrengen die mevrouw Credence me per ongeluk te veel betaald had. Ik was een eerlijk meisje. Ik klopte zachtjes en klopte toen nog een keer, maar er kwam geen antwoord. Dat verbaasde me niks! Het was niet echt mijn bedoeling geweest dat mevrouw Credence me zou horen. Dus glipte ik naar binnen door de deur, die werd opengehouden door een koperen haan, met parmantig geheven poot en kraaiende bek, in een zwarte ijzeren lijst, en liep de lange gang in die vol hing met jassen en waar allerlei andere deuren op uitkwamen. Eén daarvan stond wijdopen, maar de deur recht voor me, aan het uiteinde van de gang, was dicht en ernaast hing alweer zo'n vierkant toetsenbordje... weer zo'n codedoos, precies dezelfde als die andere twee. Weer een slot.

Maar ook zonder me te bekommeren om deuren die op slot zaten, of wat daar achter zou kunnen zitten, viel er nog genoeg te zien. En ik werd bekeken. De koppen van twee herten en een wild zwijn met slagtanden keken met glazen ogen naar me omlaag. Het viel me op dat er geen kattenkop tussen zat. Nog niet, tenminste.

De gang had een nogal sombere lambrisering van donker hout en de jassen die rond de spiegel hingen zagen eruit als droge, stoffige, afgedankte huiden, of zelfs niet eens huiden. Eigenlijk zagen ze er meer uit als mensen in een griezelverhaal, die daar al honderd jaar hingen te verschrompelen.

Links van me was een derde deur, die dicht was, en rechts van me was de open deur waar ik het net al over had, een dubbele deur in de vorm van een boog. Toen ik naar binnen keek zag ik een kolossale tafel, zes stoelen met gebogen rugleuningen en achter dit alles reusachtige bolle leunstoelen van leer met vale kussens erin. Aan de muur hingen hertenkoppen en geweien, onderstreept door een oud geweer – hét geweer – dat horizontaal lag uitgestald op houten steunen. Naast het geweer hing een grote sepiakleurige foto in een zware houten lijst – professor Credence, glimlachend boven een dode hertenbok die uitgestrekt aan zijn voeten lag. Hij had het hoofd van het dier opgericht aan een van de geweitakken en hield het zo gedraaid dat het ook in de camera moest kijken. Eerder die dag, toen ik een foto van haar had genomen, had mevrouw Credence die triomfantelijke pose van haar vader nageaapt, zag ik nu, maar op een of andere manier was haar hoofd net zo schuin gedraaid als dat van de hertenbok.

Boven de open haard hing een groot olieverfschilderij, ook van professor Credence, die onder zijn zwarte hoed uit keek alsof hij op het punt stond me iets heel belangrijks te zeggen. Zijn zwarte cape viel in rechte plooien om hem heen. Ik stond een hele tijd naar hem te staren. Toen draaide ik me om en keek door een open deur een keuken in waarvan de gootsteen volgestapeld was met vuile vaat.

Opeens barstte er overal om me heen geluid los... een schreeuwend slorpgeluid, dat me deed denken aan iemand die probeerde een dier te wurgen. Ik schrok niet alleen, ik maakte een sprong en draaide als een wilde in het rond om erachter te komen waar dat geluid vandaan kwam. Het leek van alle kanten op me neer te vallen, totdat het even plotseling ophield als het begonnen was. Na de schrik van dat enge geslorp, was de stilte nog angstaanjagender.

Eén hoek van de kamer zag eruit alsof er ook werkelijk in geleefd werd. Er was een raam... zo'n raam dat een beetje naar buiten steekt... een erkerraam. En in de erker stond een kaarttafeltje met een open boek erop en daaromheen verschillende koffiekopjes. En het kwam niet alleen door het boek en de koffiekopjes dat die hoek er levendig uitzag. De stoel naast de tafel zag eruit alsof er net iemand uit opgesprongen was, midden onder het lezen en het drinken van een kopje koffie, en elke moment terug kon komen. Een van de kopjes stond te dampen.

Toen ging de gangdeur, die dicht was geweest, achter me open. Mevrouw Credence kwam erdoorheen en liep op de zitkamer af terwijl de deur weer vanzelf dichtklikte.

'Jorinda!' zei ze, en het klonk alsof ze niet bepaald blij was me te zien. 'Heb je geklopt?'

Maar ik was op de confrontatie voorbereid en stak haar de twintig dollar toe. Er is geen mens die niet wordt afgeleid door de aanblik van twintig dollar. 'Wil je ze niet?' vroeg ze enigszins verbaasd. Toen snapte ze het ineens en de uitdrukking op haar gezicht veranderde. Haar ogen leken uit te puilen uit de tweelingholten onder haar wenkbrauwen om, min of meer recht, in de mijne te kijken. 'O, dát heb ik er dus mee gedaan. Ik wist dat ik geld kwijt was, maar zelfs als je voorzichtig bent, lijkt het wel of geld in lucht opgaat. Nou, dank je wel hoor.' Maar ze pakte het geld niet uit mijn uitgestrekte hand.

Ik had half en half gehoopt dat ze zou zeggen: 'Hou het maar. Het was voor jou bedoeld. Het was een cadeautje!' Maar in plaats daarvan begon ze met een verschrikte uitdrukking de kamer rond te kijken, bijna alsof zij hier de vreemdeling was, niet ik.

'Raar toch,' zei ze tenslotte, lachend en hoofdschuddend, 'dat alles er altijd veel erger uitziet als ik iemand op bezoek heb.'

Haar stem klonk helemaal niet als haar stem – niet als de stem die ik kende uit de tuin. En ze zag er ook anders uit. Haar droge tuinstem was een kwebbelstem geworden... ze sprak gehaast en het geratel leek eerder verbonden te worden door komma's dan door punten. 'Weet je, dat valt me ineens in – eigenlijk wilde ik het je al een hele poos vragen (en dit lijkt me wel het juiste moment), hoe zou je het vinden om nog wat bij te verdienen?... met een beetje helpen in de huishouding?' Ze wierp een blik op de keuken. 'Afwassen, bijvoorbeeld. Je zou vast kunnen oefenen, terwijl ik een kopje thee zet...'

Ik wist dat het vreselijk zou zijn om die hele vaat te wassen en ik stond me af te vragen hoe ik haar aanbod kon afslaan, toen mevrouw Credence zich, alsof ik al had ingestemd, in een woordenstroom stortte die mijn stilte volkomen wegvaagde.

'Mijn grootvader heeft dit huis gebouwd, weet je,' begon ze, nog steeds om zich heen kijkend met die verbijsterde uitdrukking op haar gericht alsof ook zij dit voor het eerst zag. 'Er zit vakmanschap in dit huis, en prachtig hout, gedroogd zoals het hoort, dat is er over honderd jaar nog.' Het klonk alsof ze een versje opzei dat ze uit haar hoofd had geleerd en waarbij ze alle punten aan het eind van de zinnen oversloeg.

'Mijn grootmoeder kwam hier meteen na haar trouwen en mijn vader is hier opgegroeid, net als ik later. Hij was professor, wereldberoemd op het gebied van de symbolische logica – dat weet iedereen, maar hij was ook lid van MENSA, en die nemen alleen de beste twee-en-een-half procent, dus natuurlijk vond hij het prachtig toen ook ik lid werd, want dat werd ik inderdaad, maar jaren later.' Ze stopte om naar lucht te happen en terwijl ik me stond af te vragen wat MENSA dan wel was, voelde ik binnenin me iets wringen. De verandering die eerder die dag was ingezet was nu in volle gang. In het echte leven had ik niet anders gekund dan eerlijk te zijn: ik moest het geld terugbrengen. Maar wát het ook geweest was dat vanuit het huis de tuin in was gevloeid en mevrouw Credence had gedwongen om voor mij te poseren met een dode kat in de ene en een geweer in de andere hand, was nu, in het ware leven, op een of andere manier bezig mij vanuit de tuin het huis in te trekken. Mevrouw Credence, die daar in de deuropening van haar eigen keuken stond toe te kijken hoe ik de gootsteen probeerde te vullen met heet water dat maar druppelsgewijs uit de kraan kwam, was nog steeds een soort verhalenverteller, maar ik wist dat ze geen vat meer had op het verhaal. Het verhaal had vat op haar.

Maar wat deed ik hier in het huis van de Schele, als ik eigenlijk veel liever thuis wilde zijn? Ik hoor niet in dit verhaal, dacht ik steeds weer bij mezelf. Ik hoef er niet aan toe te geven. Dit is de laatste keer dat ik hier ooit nog kom.

Mevrouw Credence stootte een stroom van woorden uit die telkens weer onderbroken werd, terwijl de kraan rochelde en spuugde als iemand die oud en vuil en ziek was. Het aanrechtkastje was smerig en er was geen afwasmiddel, alleen een stuk gele zeep in een ouderwetse zeepklopper, wat waarschijnlijk wel milieuvriendelijk was, maar misschien toch wat al te vriendelijk. Hij zag eruit alsof hij in geen tijden meer gebruikt was. Hoe dan ook, ik begon de vaat zo goed mogelijk te wassen met een grijze kwast en wat roestige staalwol. Het leek wel alsof mevrouw Credence wekenlang op tomatensaus had geleefd. Er stonden twee bladen volgestapeld met vaat en ik zag dat op een daarvan een witte porseleinen kop stond, een kop met een deksel en een soort kort tuitje. Het was geen theepot of zo. Eigenlijk zag het eruit als zo'n ding dat in een ziekenhuis wordt gebruikt voor een bedlegerige en toen zag ik dat de naam van het ziekenhuis bij ons in de stad er inderdaad in rode letters op stond. Hoe dan ook, terwijl ik met veel lawaai de borden afwaste, liep mevrouw Credence om me heen zogenaamd op te ruimen en aan één stuk door te babbelen.

'Huishoudelijk werk heeft me nooit zo gelegen.' Ze zweeg, terwijl ze in de deuropening van de keuken leunde, en verwachtte kennelijk dat dat me verbaasde.

'Ik weet dat het nu allemaal anders is en dat vrouwen niet meer zoals vroeger aan de keuken gekluisterd zitten, maar iemand moet toch het huishouden doen... en het rare is dat toen mijn moeder stierf, mijn vader wilde... hij kon het ook niet helpen, de arme man... hij wilde dat ík het hier zou bestieren, al hadden hij en Clem Byrne (dr. Clemence Byrne bedoel ik... ik heb hem altijd Clem genoemd)... nou, zij hadden het er altijd over gehad dat vrouwen zich moesten ontplooien, hun plaats moesten innemen in de kunst en de wetenschap.'

Dr. Clemence Byrne, die ze altijd 'Clem' noemde, was nieuw voor me. Ze had het van tijd tot tijd over haar vader gehad, maar 'Clem' had ik haar nog nooit horen noemen. Maar opeens was hij er en om de een of andere reden klonk het alsof hij belangrijk was.

Mevrouw Credence dook achter me langs om de stekker van een oude elektrische waterketel in te steken die aan een snoer zat dat er gevaarlijk gerafeld uitzag. Toen tilde ze een enorme theepot op met een voet als een klauw, die best wel eens van zilver kon zijn. Mevrouw Credence deed er thee in en ratelde maar door, terwijl ik onder het miezerige straaltje uit de kraan mijn gevecht met de vette borden leverde.

'De mensen weten begaafde personen niet altijd te waarderen, vind je ook niet? Praat je daarom niet? Ik zou het begrijpen als dat de reden was, weet je, want mijn vader zag gewoon niet dat hij me altijd bepaalde ideeën had opgedrongen en toen, nou ja, ik kon niet opeens net doen alsof ze er niet meer waren. Maar dat wilde hij nou net wel... dat ik zijn moeder werd eigenlijk (natuurlijk had zíj hem altijd verwend, aangezien hij haar enige zoon was) of, misschien, dat ik zou veranderen in mijn eigen moeder. Arm mens, ze had zich nooit op ons niveau bewogen, en daar had hij me vaak genoeg op geattendeerd, dus ik kan me niet voorstellen waarom hij dacht dat ik het wel best zou vinden om in een nieuwe versie van haar te veranderen. En toen later...' (hier pauzeerde ze even, ze liet haar zin in de lucht hangen en keek alsof ze niet goed wist hoe ze hem af moest maken. Toen sijpelden de woorden weer bij haar binnen en daar ging ze weer) '... ja, later erfde ik dit huis, dat ik beschouw als mijn verantwoordelijkheid, ook als ís het groot voor één persoon, en je ziet wel dat het me nogal zwaar valt om het op orde te houden. Ik bedoel, mijn grootvader, en zelfs mijn vader, hadden tuinlieden en poetsvrouwen, maar ik kan me dat nu niet meer veroorloven. De beleggingen zijn bijna allemaal opgebruikt. Af en toe verkoop ik wel eens iets, een schilderij of zo. Maar het land verkoop ik níét. Nooit! Meneer McInnery – dat is mijn advocaat – díé zegt dat ik het moet verkavelen, omdat er een firma is die hier een hele hoop huizen wil bouwen, maar dan wel heel exclusieve natuurlijk. Maar dat kan ik niet laten gebeuren. Ik moet het allemaal gaande houden.'

Ik liet het water weglopen en begon de gootsteen opnieuw te vullen. De kraan hijgde en siste en toen hoestte hij en schraapte zijn keel. Het water spoot eruit, stopte, en spoot toen weer verder.

'De thee is klaar,' zei mevrouw Credence. Ze zette twee kopjes op een blad dat bedekt was met een groene doek, doorkruist met witte lijnen. Het deed me denken aan een veld met lijnen voor een of ander spel. Ze deed de koelkast open, waar geen lampje in ging branden, en haalde er een wit kannetje uit. 'Suiker? Gebruik je suiker? Ik neem aan van niet, en het is ook niet goed voor je, dat geraffineerde witte spul. Laat die vaat maar even weken en kom mee. We gaan naar de studeerkamer. Daar hebben we uitzicht op de tuin.'

Toen ik me omdraaide om haar te volgen, zag ik het briefje van twintig dollar naast de oude broodrooster liggen waar ik het had neergelegd toen ik met de vaat begon. Ik deed toen iets wat ik nooit heb kunnen begrijpen, maar ik denk dat het misschien iets te maken had met de magie van geld en met het idee dat die twintig dollar op een of andere manier van mij waren. Ik pakte het briefje op en nam het mee.

We liepen terug door de gang en voor het eerst realiseerde ik me dat ik nog geen trap had gezien in het huis van de Schele. Er was een bovenverdieping, maar er was geen weg te bespeuren om er te komen.

De studeerkamer van mevrouw Credence was de tweede waarin ik die dag kwam en de beide kamers hadden veel gemeen, met al die boeken, paperassen en pennen verspreid over een bureau. De de Schele-lucht voelde lichter aan in de studeerkamer, alsof die er in de laatste tien jaar een paar keer in en uit had gemogen.

Aan de verste muur hingen twee schilderijen naast elkaar. Op eentje stond een ernstig uitziende man in professorendracht... een zwarte toga met een lichtgekleurde kap en een baret. Alweer professor Credence, maar ditmaal met een onverwacht verlegen glimlach. Zijn zwarte toga zag er haast net zo uit als zijn zwarte cape. Hij moet zich goed hebben gevoeld achter een muur van lange, zwarte plooien. Maar ondertussen begreep ik dat mevrouw Credence niet alleen probeerde het huis gaande te houden... ze probeerde ook om iets van haar vader levend te houden.

Op het andere schilderij stond een klein meisje met lang, loshangend haar. Ze keek glimlachend over haar schouder, alsof iemand buiten de lijst net haar naam had geroepen. Het was geen goed schilderij. De bolling aan één kant van het gezicht van het kind deed eerder denken aan de bof dan aan de ronding van een glimlach. Het was het soort schilderij waar ik eigenlijk om zou hebben moeten lachen. Maar terwijl ik omhoog keek naar het lachende kind, voelde ik me angstiger dan ik me gedurende het hele bezoek gevoeld had. Zelfs het slorpgeluid dat ik in de zitkamer had gehoord, had me niet zo'n afschuwelijk gevoel gegeven als ik nu had bij het zien van dat schilderij.

Toen ze zag dat ik naar het schilderij stond te staren, keek mevrouw Credence er ook naar op.

'Rinda!' zei ze, en glimlachte vol liefde naar het bolle gezicht. 'Ik heb je wel eens verteld over mijn dochter Rinda. Niet dat ik ooit getrouwd was, maar ik ben nou eenmaal altijd onconventioneel geweest. Dat portret heb ik zelf geschilderd, maar het doet haar geen recht, want ze was een beeldschoon meisje. Mooi en intelligent. Ze is natuurlijk weggegaan. Het is hier te klein voor mooie, intelligente mensen... te *bekrompen*. Ze móéten gewoon uitvliegen en wij moeten ze laten gaan.' Toen kneep ze haar ogen tot spleetjes en keek me min of meer loensend aan. 'Eigenlijk lijkt ze wel een beetje op jou.' Met een bruusk gebaar stak ze haar hand naar me uit. Vlug ontweek ik haar omdat ik dacht dat ze me beet wilde pakken, en op dat moment wilde ik niet aangeraakt worden, laat staan beetgepakt. Maar mevrouw Credence wees alleen maar naar de twintig dollar die ik nog steeds in mijn hand had.

'Hou ze maar,' zei ze. 'Het is geen cadeautje (ik kan me geen cadeautjes veroorloven), maar je kunt het net zo goed nu al nemen. Dan kom je morgenochtend maar terug om wat huishoudelijk werk voor me te doen... deze studeerkamer opruimen, bijvoorbeeld.'

Om de een of andere reden kon ik het geld niet weigeren. Ik zat gevangen in de val van mijn eigen stilzwijgen en de verlokking van twintig dollar extra. Het enige wat ik wilde was de studeerkamer uitrennen, het huis uit, de tuin uit, terug naar de stad daarbuiten. Ik wilde naar huis rennen, het hek achter me dichtdoen en de deur op slot doen. Maar ik bleef de twintig dollar vasthouden en ik wist dat ik, door ze te accepteren, beloofde terug te zullen komen. Negen dollar per uur... nog twee bezoekjes, hooguit drie. Toen reikte mevrouw Credence me een hete kop thee aan die een vreemde metaalachtige smaak had. Terwijl ik van de thee dronk, hielden professor Credence en Rinda hun blik op mij gericht. 'Houd afstand,' zei zijn blik, maar haar boodschap was: 'Volg mij!'

Eindelijk had ik de afschuwelijke thee op. Niets weerhield me er meer van naar mevrouw Credence te lachen en te knikken, net zoals altijd, en door de open deur de tuin in te lopen, en door dat weglopen alleen al begon ik me af te vragen waar ik me eigenlijk druk over had gemaakt. Natuurlijk was ik vrij om te komen en te gaan. Dus ging ik, in alle vrijheid, liep ónder de bomen door en door het hek, al had ik het gevoel dat professor Credence in hoogsteigen persoon me nakeek. En toen ik bij ons huis aankwam, dacht ik bijna dat hij me in de deuropening stond op te wachten. Maar het was Ginevra die met Sammy praatte, die op de veranda stond en een beetje hijgde, alsof hij had gerend.

'Hallo, harde werkster,' riep Ginevra, toen ze me zag. 'Het eten is klaar en vanavond heb ík het gemaakt, dus je vindt het vast heerlijk. Lasagna met één hand! Je bent precies op tijd.'

Ik was blij dat ik thuis was en had ineens honger. Meteen leek de vreemde dag net zo'n droom die begint te vervagen op het moment dat je wakker wordt. Ik begon het huis van de Schele in het echte leven te plaatsen, om mezelf eraan te herinneren hoe gewoon het eigenlijk was. Het was een huis waar iemand in woonde die, hoezeer ze het idee ook verafschuwde, in een postwinkel werkte. En wat dan nog als ze een van de katten had doodgeschoten die achter haar vogels aanzaten? Was dat zo vreselijk voor iemand die wilde dat haar tuin een vogelreservaat was? Was het eigenlijk niet allemaal heel gewoon?

Nee. Ik kon het met de beste wil van de wereld niet gewoon vinden. Dat schilderij was er ook nog. Dat schilderij van Rinda. Er moest een verklaring zijn voor dat merkwaardige schilderij. Mevrouw Credence had gezegd dat het meisje op mij leek, maar ik wist dat ik het niet was en ik wist dat het ook Rinda niet was. Het was Ginevra. Er was geen twijfel mogelijk, want ik had de foto waarvan het portret was nagemaakt vaak genoeg gezien. Wij waren nog maar pas in Benallan komen wonen en Ginevra had er nooit gewoond. En toch hing dat schilderij van haar als lachend kind in het huis van mevrouw Credence en het hing daar allang genoeg om met spinnenwebben aan de muur vast te plakken. Daar moest een reden voor zijn. Maar hoe ik ook mijn best deed, ik kon absuluut geen reden verzinnen.

Het echte leven

Die avond werd de televisie uit de studeerkamer gehaald, als een brave hond die werd uitgelaten, zodat we naar het nieuws konden kijken. En ja hoor, er zat een verslag in van de conferentie, en daar was Annie die om haar mening gevraagd werd. 'Zie je wel?' zei Ginevra. 'Er is niets veranderd. Jullie doen nog steeds hetzelfde.'

'Het is je vast wel opgevallen dat ik maar dertig seconden te zien was,' zei Annie. 'Degenen met wie ze echt wilden praten waren de Australiërs. En wat ook opvalt is dat de interviewers tegenwoordig voortdurend proberen mijn gebreken te laten zien.' Ze keek niet echt gekwetst, maar eerder nadenkend. 'Ze hebben het nauwelijks nog over *Gewoon-Fantastisch.* In plaats daarvan informeren ze naar Hero.'

'Het is ook wel vreemd,' zei Ginevra. 'Helemaal niet praten.'

'Denk jíj dat het is gekomen doordat ik haar onder druk heb gezet?' vroeg Annie, terwijl ze mij aankeek. 'Dat kán toch haast niet. Het kan gewoon niet dat ik iets zou doen wat zo ver afstaat van mijn eigen ideeën,' zei ze tenslotte. 'Dat neemt trouwens niet weg dat ik het ze niet kwalijk kan nemen dat ze genoeg krijgen van *Gewoon-Fantastisch.* Ik heb er zelf genoeg van. Ik zou het heerlijk vinden om me met een nieuw mysterie te gaan bezighouden, maar die krijg je nu eenmaal niet op bestelling.'

'Rust op je lauweren. Daar zul je ondertussen wel heel lekker op kunnen zitten, en misschien wordt er wel een straat naar je genoemd,' zei Ginevra. 'Dat is de oude prof Credence ook gelukt.'

'Alleen omdat hij dood is,' zei Sap.

'Niet waar,' riep Athol. 'Allebei niet waar. Credence Crescent is naar de vader van de professor genoemd. Dat huis staat er al eeuwen en de Crescent is er al bijna even lang. Professor Credence is pas een jaar of twintig de pijp uit.'

'Zolang is het toch nog niet geleden?' Mike keek onzeker. 'Hangt er niet een gedenkteken voor hem in de universiteitsbibliotheek?'

'Ze hebben een gedenkplaat opgehangen toen hij die Europese prijs won,' zei Annie. 'Nu ik erover nadenk, moet ik toegeven dat ik eigenlijk helemaal niet weet wanneer hij gestorven is.'

'O nou, misschien leeft hij dan nog wel,' zei Athol. 'Waarschijnlijk kent Hero hem heel goed, maar ze komt er nooit aan toe om het te vertellen.'

'Hij móét welhaast dood zijn,' zei Annie. 'Hij zou rond de honderd zijn als hij nog leefde. Negentig in ieder geval.'

'Negentig is niet onmogelijk,' zei Ginevra. En toen praatten ze verder over andere dingen.

De volgende dag was het zondag. En op zondag kwam Rappie weer langs, die Ginevra betuttelde en blij was dat Annie thuis was. We kropen met z'n allen in twee auto's, de Peugeot van Mike en de oude Volkswagen, die zogenaamd van Annie was, en zoefden over de heuvels om te gaan picknicken bij het havenhoofd. Het werd een fantastische dag zonder geruzie. Van tijd tot tijd dreven er schimmen van het bos, en van het huis van de Schele, en van mevrouw Credence zelf, en vooral van dat schilderij van Rinda door mijn hoofd als aankondigingen van griezelfilms. En nu was daar ook nog professor Credence bij gekomen, had hij zich, met die verlegen glimlach op zijn gezicht, op de een of andere manier gevormd uit de rook van zijn eigen zwarte sigaret. Maar, afgezien van die schimmen, was die zondag een en al echt leven – een zondag van aan elkaar gewend raken – aan Ginevra, bedoel ik, en aan Sammy ook, als er tenminste iemand aan hem dacht. Hij zat er maar zo'n beetje bij (geen rap, geen hiphop en steeds keurig 'dank je wel') en er gebeurde helemaal niets vreemds of beangstigends.

3

Het echte leven

In die tijd zat ik op een alternatieve school – een kleine particuliere school waar ik verondersteld werd een hoop individuele aandacht te krijgen. En als het op individuele aandacht aankwam waren de leraren fantastisch, net zoals ze fantastisch waren in lezen en lessen over de Maori's, al waren ze te democratisch op het gebied van natuur- en wiskunde, bijna alsof iedereen daarover zijn eigen mening mocht hebben. Mensen die echt dol zijn op wiskunde, mensen zoals Ginevra bijvoorbeeld, worden meestal geen leraar. Hoewel ze natuurlijk ook niet vaak auto's in elkaar gaan rijden.

Op maandagmorgen werd ik wakker en deed wat ik altijd deed – knipperde een paar keer met mijn ogen, dacht aan school, draaide me om, rekte me uit en liet me uit bed rollen. En vervolgens ging ik naar de keuken om iets eetbaars te zoeken.

In oude boeken lees je over kinderen die in het holst van de nacht smulpartijen organiseren, maar ik genoot er altijd het meest van om allerlei lekkers bij elkaar te pikken in de vroege ochtendstilte, wanneer het licht om me heen alsmaar rozer werd. En natuurlijk schreef ik op de meeste mooie ochtenden in die bewuste lente en zomer op het bord in de keuken de boodschap *Ben naar het huis van de Schele* en liep dan de Edwin Street uit, waarbij ik ongetwijfeld een *Oude Sprookjes*-spoor van broodkruimels achterliet.

Zodra ik in de keuken was, maakte ik de koelkast open, dronk, zo uit het pak, wat sinaasappelsap, pikte een stuk pizza en een paar olijven en ging toen verder naar de voorraadkast, op zoek naar een groot stuk appeltaart, dat daar, wist ik, gisteravond nog had gelegen. Ik was niet van plan het helemaal op te eten, ik wilde er alleen een lekkere plak afsnijden. Nou, daar stond het bord, maar het was leeg. Iemand anders was me voor geweest. Athol was mijn hoofdverdachte want al zat hij dan ook altijd te lezen met zo'n glimlachje alsof hij kilometers boven ons stond, Athol was een nachtelijke etensdief, net zoals ik een ochtenddief was.

Terug naar bed, zonder taart dan maar! Maar toen ik de keuken uit liep, viel er tussen de gordijnen door een streep rozig licht op Sammy, uitgezakt in mijn blauwe stoel voor mijn boekenkast. Op zijn knie, uit zijn slappe vingers gevallen, lag wat er over was van de appeltaart. Hij was helemaal aangekleed, had zelfs zijn baseballpet op, maar hij sliep als een roos. Mengelmoes lag ook te slapen, in de stoel tegenover Sammy, maar zij lag in elkaar gerold, terwijl Sammy er helemaal uitgestrekt bij lag. Ze opende haar ogen tot kleine spleetjes en tuurde over haar eigen staart heen om even te controleren wie daar was. De rode vlek op haar kop deed me denken aan die andere kat, en onwillekeurig vroeg ik me af of er die vorige avond, en de avond dáárvoor, ergens een familie naar hem had lopen roepen, bezorgd en verdrietig toen hij niet was komen aanrennen.

Sammy sliep door, terwijl ik hem zuur bekeek. Ik wilde hem daar niet, wilde niet dat hij mijn ochtend-taart opat en in mijn eigen blauwe stoel zat, met mijn eigen boekenkast achter zich. Maar ja, afgezien van Ginevra wilde niemand Sammy echt, zelfs zijn eigen vader niet. Wij Rappers deden alleen aardig tegen hem ter wille van Ginevra. En toen, alsof de lichtstreep voor aanwijsstok speelde, zag ik een klein glad littekentje op zijn wang. Door het licht leek het wel van zilver. Een vers slakkenspoortje van verdriet. Iets aan de manier waarop hij daar in die blauwe stoel hing, deed me vreemd genoeg denken aan het plaatje van Doornroosje in *Oude Sprookjes*. De naam van de illustrator wordt niet vermeld, maar hij of zij heeft een prinses getekend die niet plat ligt, maar achterovergeleund wegzinkt in grote blauwe kussens. Voorzichtig en zachtjes hurkte ik naast de stoel, trok het boek van de plank en liep ermee naar de keukentafel, gewoon om even te controleren of mijn herinnering aan het plaatje klopte. Ik liet mijn vinger langs de lijst met illustraties gaan, voorin het boek, toen ik iets zag wat me op slag alle Doornroosjes, mannelijk of vrouwelijk, deed vergeten. Mijn blik was op de naam *Jorinda* gevallen.

Ik sloeg het boek met een klap dicht. Sammy schrok op alsof hij een ver kanonschot hoorde, maar hij werd niet wakker. Als ik er nu op terugkijk, zie ik hem voor me, zoals hij daar per ongeluk in slaap gevallen was in de blauwe stoel, wel lekker knus, maar met een grote lege ruimte om zich heen, zonder het wachtwoord te kennen om uit die lege ruimte te komen en zonder dat iemand anders het wachtwoord kende om erin te komen. Want ons huis, dat voor mij zo veilig leek, en zelfs voor Ginevra, was voor Sammy een plek die niet thuishoorde in zijn ware leven, eigenlijk niet eens in zijn echte leven. Overal waren er ogen die zonder warmte en genegenheid naar hem keken, en grappen met een clou die hij onmogelijk kon begrijpen.

Zelfs nog voor ik weer in bed lag, wist ik dat het huis van de Schele was veranderd in een zere plek in mijn gedachten, zoals een blauwe plek of een wondje waar je maar niet vanaf kunt blijven, gewoon omdat je steeds weer wil voelen hoeveel pijn het eigenlijk doet. Voordat ik gisteravond was gaan slapen, had ik me het beeld van het huis van de Schele steeds opnieuw voor de geest gehaald, had ik geprobeerd het te verrassen, om te zien wat ik ervan vond, en had ik het daarna steeds weer snel weggeduwd. Ik klom in bed, deed mijn bedlampje aan en sloeg, voor de tweede keer die morgen, *Oude Sprookjes* open.

Het verhaal heette 'Jorinda en Joringel' en toen ik het zag, herinnerde ik me dat ik het lang geleden eens gelezen had. Het is, om een of andere reden, niet een van die sprookjes die je bijblijven, maar het had wel al die tijd daar in het boek gestaan. Jorinda was een meisje en Joringel was een jongeman. Het verhaal begon zo:

Er was eens een oud kasteel midden in een groot, dicht bos waar een heks in woonde die wilde dieren en vogels naar zich toe kon lokken. Die slachtte en braadde ze dan. Als iemand tot op honderd passen van het kasteel kwam, betoverde ze hem en moest hij stilstaan. Dan kon hij zich niet meer bewegen tot zij hem uit zijn lijden verloste. Maar kwam er een onschuldige maagd in deze tovercirkel, dan veranderde zij haar in een vogel en stopte haar in een rieten kooi en droeg de kooi naar een kamer in het kasteel. Ze had wel zevenduizend kooien met zulke zeldzame vogeltjes in die kamer.

Contact! Ergens in mijn hoofd begonnen allerlei wieltjes en radertjes te draaien en in elkaar te grijpen, zodat alles in beweging kwam. Waarschijnlijk had mevrouw Credence dit verhaaltje gelezen toen ze klein was en had het in háár hoofd ook gewerkt als een draaiend radertje dat andere wieltjes in beweging zette. De energie was overgegaan van het ene wieltje op het andere (zo werkten verhalen bij mij ook) en mevrouw Credence had helemaal haar eigen verhaal geproduceerd. In het sprookje van Grimm werd Jorinda veranderd in een vogel, totdat Joringel haar uit de betovering verloste. Daarmee eindigde het verhaal. Maar het verhaal van mevrouw Credence riep in zekere zin op wat er gebeurde ná dat einde. Het bleek dat Jorinda nooit meer verlost kon worden. Het wezen van de vogel was voor goed deel geworden van haar eigen wezen. Dus vloog ze weg bij Joringel, terug naar de bomen, terug naar de vogels en naar de strijd tegen – niet de heks, maar de zoon en erfgenaam van de heks, Nocturno. De twee verhalen, het oude en het nieuwe, versmolten met elkaar en versmolten ook met mij. Omdat ik aarzelde om naar het huis van de Schele te gaan, was het net alsof het huis van de Schele op de een of andere manier naar míj was gekomen... het ware leven was bezig het echte leven met grote, gulzige happen op te slokken en zijn plaats in te nemen. Ik voelde hoe de schaduw van zijn enorme muil over me heen viel.

Het was een hele opluchting toen ik zo'n tien minuten later Mike in de keuken aan de slag hoorde gaan, waardoor het echte leven van ons gezin weer op volle kracht binnenstroomde, sterk genoeg om ook mij echt te houden.

Het echte leven

Ik stond voor de tweede keer die morgen op en liep met *Oude Sprookjes* onder mijn arm de gang door, langs Athols deur, langs de studeerkamer, en kwam Annie tegen die de badkamer uit kwam. Ze zag er witjes en klam uit en om de een of andere reden gewoon niet al te lekker.

'Hero!' zei ze, nogal verstrooid. 'Waarom ben je niet aan het tuinieren?'

Ik lachte en schudde mijn hoofd, omhelsde haar even met mijn vrije arm en liep de eetkamer binnen.

Daar heerste weer de normale drukte van mensen die binnenkwamen om te ontbijten, zich gingen aankleden, liepen te praten, te ruziën en te grappen (niet ik, maar de anderen). We waren er ondertussen al bijna aan gewend dat Ginevra weer thuis was, maar Sammy gingen we uit de weg. En Annie en Ginevra gingen nog steeds zo voorzichtig met elkaar om, dat iedereen zich er volgens mij opgelaten bij voelde. Ginevra's toegetakelde gezicht had elke ochtend een andere kleur. Haar oog was ondertussen wat minder gezwollen, maar het was nu blauwachtig zwart en paars met een fel gele rand die naar achter kroop tot aan haar oor en omlaag naar haar hals.

Omdat ik verdreven was van het plekje waar ik anders altijd zat, ging ik aan het hoofdeinde van de tafel zitten van waar ik ze allemaal kon bekijken. Athol had gelijk. Als je eenmaal wist dat er iets was wat Ginevra niet goed durfde te vertellen, kon je het merken aan zowat alles wat ze zei... woorden die op het puntje van haar tong lagen en snel weer werden ingeslikt. Eén keer, toen Mike in de keuken was en Annie in haar slaapkamer om een universiteitsgezicht aan te brengen, en Sap op zoek was naar huiswerk dat ze naar eigen zeggen heus wel gemaakt had, leunde Athol over de tafel en praatte zachtjes tegen Ginevra.

'Vertel nou maar? Voor de draad ermee!'

'Als ik er klaar voor ben,' antwoordde zij.

'Ik zal jou iets vertellen,' zei Athol, 'misschien helpt dat wel. Ik moet ook iets bekennen.'

Ginevra bekeek hem alsof hij een wiskundig vraagstuk was.

'Geef eens een hint,' zei ze.

'Ik heb jullie een paar dagen geleden al een hint gegeven, maar niemand die het hoort,' zei Athol. 'Hoe dan ook, als jij jouw geheim vertelt, dan vertel ik het mijne. Erewoord!'

'Daar trap ik niet in,' zei Ginevra. 'Jij hebt geen eer. Je hebt waarschijnlijk niet eens een geheim.'

Sap kwam de kamer binnen huppelen.

'Waar zitten jullie over te veziken?' vroeg ze achterdochtig.

'Wij zitten niet te veziken,' zei Ginevra. 'Omdat jij voortdurend schreeuwt denk je dat alle anderen fluisteren.' Ze keek naar Athol. 'Ik zal erover nadenken,' zei ze.

Sap en ik fietsten samen naar school, maar toen ik de hoek omging, de Benallan Drive uit, naar mijn school, reed zij rechtdoor naar de hare. Mijn school heette Kotoku House. Het was eigenlijk tegen Mikes principes om me daar naartoe te sturen. Maar, hoewel de openbare school van Benallan doorging voor een 'goede' school, moest hij toch toegeven dat ze daar gewoon niet veel tijd hadden voor iemand met een bijzonder probleem, en ik gold als een bijzonder probleem – dat wil zeggen, een probleem voor andere mensen, niet voor mezelf. Kotoku House was piepklein... er waren maar zo'n vijftig leerlingen, een groep hulpouders die voor niets werkten en twee echte leerkrachten die ook werkelijk betaald werden (al was het niet veel, want de school was niet rijk en ze gaven er uit idealisme les. Ze waren werkelijk toegewijd, wat ook wel nodig was, want ik mocht dan het stilste kind van de hele school zijn, ik was niet het enige dat daar naartoe was gestuurd uit wanhoop.

De hele ochtend zat ik zwijgend te werken, net als altijd. Niemand kon merken dat ik was ingesloten door namen en herinneringen en gissingen – dat ik onzichtbaar gekooid werd door het huis van de Schele.

Gedurende mijn eerste trimester op Kotoku House waren de leerkrachten Coralie en Peter (ze wilden graag dat we hen bij hun voornaam noemden) geduldig en welwillend. Maar na een poosje merkte ik dat ze zich gekwetst voelden door mijn stilzwijgen. Ze waren er zo zeker van geweest dat zíj mijn problemen wel zouden oplossen, niet alleen door aardig te zijn, maar ook omdat zij een juiste kijk hadden op de wereld. Maar op school was het net alsof ik niet kón praten. Ik luisterde en schreef en las en deed al de creatieve dingen die de kinderen moesten doen en zo nu en dan probeerden Coralie en Peter, of Bruce, de therapeut van de psychologische dienst die mij was toegewezen, om met me te werken – met mij alleen – maar diep in mijn binnenste wist ik dat ze het allemaal al hadden opgegeven.

Ik had Bruces verslagen gezien. Vroeger, voordat Athol de deur van de studeerkamer op slot begon te doen, schoot ik er vaak even naar binnen en las wat Mike op het bureau had laten liggen, net zoals ik die zaterdagmorgen in Athols schrift had zitten lezen. Als je geen vragen stelt krijg je geen antwoorden, dus moet je de dingen ontdekken door te spioneren.

In de verslagen stond dat ik *afaticus voluntaria* was... bla! bla! bla! Mijn type van niet-spreken was voor het eerst zo genoemd in 1877. Het komt meestal voor in de leeftijd tussen vijf en zeven jaar en het kan meestal wel behandeld worden. Maar kijk uit als dat niet gebeurt, want het probleem wordt steeds hardnekkiger naarmate de tijd vordert. Dat stond tenminste in een van de verslagen die Mike en Annie waarschijnlijk nog steeds ergens in een map in een kast hebben zitten. Over het algemeen gaan de specialisten ervan uit dat het veroorzaakt wordt door een trauma, zoals verandering van woonplaats, ziekte, verwonding van de mond, of een ingrijpende gebeurtenis binnen het gezin. Het kan zich voordoen in een 'thuismilieu dat verlegenheid stimuleert'. Ik bedoel, stel je voor dat je klein bent en er gebeurt iets in het gezin waardoor het spreken wordt onderdrukt (zoals mensen die de hele tijd over je heen praten), nou, dan zou je wel eens kunnen besluiten om maar helemaal te stoppen met praten. En de meeste mensen dachten dat dat nou precies was wat er met mij was gebeurd. Ze dachten dat ik was opgegroeid in een periode dat de rest van de familie, en dan vooral Annie en Ginevra, tegen elkaar had lopen schreeuwen en harde dingen tegen elkaar of over elkaar zeiden en dat dit mij stiekem had doen besluiten dat praten te gevaarlijk was om de moeite waard te zijn. Ik was altijd al weinig spraakzaam geweest, maar korte tijd nadat Ginevra van huis was wegegaan, was ik helemaal met praten gestopt, en ze geloofden dat mijn eerste stiltes veranderd waren in wat zij een spraakfobie noemden. De theorie was dat ik praten vermeed omdat ik het idee had dat praten een soort pijn veroorzaakte.

Een therapeut adviseerde *de toepassing van een behandelingsstrategie die de individuele situatie van het subject erkent.* (Van mij dus. *Ik* was het subject.) Hij zei dat hij in het begin wat hij de *positieve bekrachtiging van verbaal gedrag* noemde had toegepast... wat erop neerkwam dat hij er een vreselijke poeha van maakte als ik eens per ongeluk iets zei, hoe onnozel het ook was. Op de openbare school waar ik toen heen ging was er een tijd geweest dat ik een speciale kaart had waar streepjes en gouden sterretjes op kwamen voor elk woord dat ik zei. Bij sommige kinderen die niet meer praten schijnt dat te werken, maar bij mij dus niet. Ik werd er alleen maar stiller en stiller van, totdat ik helemaal niets meer zei, behalve in één omgeving, wat verslagtaal was voor het feit dat ik soms tegen Athol praatte.

Hierna probeerden ze de zogenoemde achtergrondprocedure. Als Mike of Annie mij bijvoorbeeld tegen Athol hoorden praten, kwamen ze gewoon, zomaar, per-ongeluk-expres de kamer binnenwandelen, zogenaamd omdat ze aan het opruimen waren of iets zochten, maar eigenlijk in de hoop dat ik hen in het gesprek zou betrekken zonder dat ik daar zelf echt erg in had. Dit is een andere methode die soms schijnt te werken. Er zijn kinderen zoals ik, die binnen een week of twee beginnen te praten – *postexperimentele toename van verbale respons op leerkrachten en medeleerlingen.* Sommige kinderen komen zelfs zo ver dat ze *spontaan praten met medeleerlingen en volwassenen in uiteenlopende situaties.* Maar wat de consulent en de andere deskundigen ook deden, ik wilde maar niet praten, niet tegen aardige leerkrachten, niet tegen medeleerlingen, alleen af en toe, stiekem, tegen Athol. Ondertussen had iedereen er zich bij neergelegd, zelfs op Kotoku House.

'Waaraan heb ik dit verdiend?' hoorde ik Annie eens zeggen. 'Ik heb altijd van mijn kinderen gehouden en ik heb altijd gewild dat ze zichzelf waren.'

Maar mezelf zijn was, wat mij betrof, stil zijn. 'Ik neem aan dat alle ouders hun kinderen in een bepaalde richting sturen,' had Annie gezegd. 'Maar heb ik ooit – ook maar één keer – mijn kinderen ervan weerhouden zichzelf te zijn? Nee toch?' Mike had hier geen antwoord op. Niemand trouwens.

Toen ik maandagmiddag thuiskwam was het huis leeg, afgezien van Mike dan. Ginevra was kennelijk met Sammy op verkenningstocht door Benallan. Of eigenlijk meer een verkenningsstrompel, voegde Mike eraan toe. Annie was op de universiteit om met een groep studenten over hun essays te praten; Sap was op school gebleven omdat ze in het zwemteam van school zat en moest trainen.

'Alleen wij tweetjes,' zei Mike. Ik grijnsde en liep naar de koelkast. Ik wilde wat ijs gaan pakken, maar de doos waar het ijs in had gezeten was leeg.

'Sammy heeft het laatste restje opgegeten,' zei Mike. 'Geeft niet! Ik wilde net naar de supermarkt gaan om nog wat te halen. Zin om mee te gaan?'

Dus gingen we samen op pad naar het winkelcentrum van Benallan, dat een paar straten verder lag. Mike is zeer bedreven in boodschappen doen. Dat lijkt niet zo'n geweldige verdienste, maar goed boodschappen doen is wel degelijk een vaardigheid en ik neem aan dat het zelfs een soort kunst kan worden. Hoe dan ook, Mike deed altijd alsof het een hele klus was, maar iedereen wist dat hij het maar wát leuk vond – nou ja, iedereen behalve Rappie dan, natuurlijk! Als ze zag hoe Mike zich voorbereidde op een tocht door de supermarkt, kreeg ze de kriebels. 'Daarvoor heb ik je zeker naar de universiteit laten gaan,' zei ze dan.

Mike was goed voorbereid. Hij had alle supermarktfolders met kortingsbonnen doorgewerkt en ze naast twee lijsten die met magneetjes op de deur van de koelkast vastzaten gelegd. Kortingsbonnen voor dingen die we écht nodig hadden en kortingsbonnen voor dingen die we misschíén nodig hadden en voor voorraaddingen, werden allemaal uitgeknipt en bij elkaar gehouden met een paperclip. In de supermarkt stortten we ons op een wagentje, baanden ons, via groenten en fruit, een weg naar de blikken voor katten en honden, dan verder naar huishoudelijke apparaten, om vervolgens via de kaas- en yoghurtkoelkasten te belanden in het volgende gangpad – schoonmaakmiddelen en cosmetica. Bij het ijs en de diepgevroren erwten aarzelden we even, zetten dan, via de koekjes, koers naar de planken met brood, enzovoort, enzovoort, terwijl Mike voortdurend zijn lijstje raadpleegde, etiketten las (zodat hij precies wist welke schoonmaakmiddelen het milieuvriendelijkst waren en hoeveel kleurstoffen er in welk voedsel zaten en meer van dat soort dingen), en de coupons schudde, alsof hij een potje poker aan het spelen was. Van tijd tot tijd kocht hij een staatslot. Annie is een groot tegenstander van gokken, maar Mike zegt dat ze een miljoen niet zou afslaan als hij ooit geluk had, en trouwens, het is een staatsloterij en een deel van het geld gaat naar de kunst.

Die dag kocht hij ook een lot. 'Het is me het weekend wel geweest,' zei hij. 'We zullen eens zien of we niet een mazzeltje hebben.'

Na de supermarkt moesten we naar het postkantoor. Annie schrijft een boel artikelen die in enveloppen van rare formaten passen en die kun je niet zomaar in de brievenbus stoppen. Om bij het postkantoor te komen, moesten we dwars door het winkelcentrum en langs een winkel die elektrische apparaten verkocht... wasmachines, magnetronovens, bandrecorders, enzovoort. De etalage stond vol televisietoestellen en op elk scherm waren dezelfde dramatische taferelen uit *Pharazyn Towers* te zien.

Op school had iedereen het over *Pharazyn Towers* en aanplakbiljetten met reclames voor vrouwenbladen beloofden onthullingen over het liefdeleven van de sterren uit de serie, naast de roddels over de koninklijke familie, dus al had ik eigenlijk nog nooit een hele aflevering gezien, toch wist ik dat de magere, beeldschone vrouw, die in de etalage met bewegende lippen stond te gebaren, de slechte Athelie Pharazyn was, die het leven van Kate probeerde te verwoesten, die dan weer verliefd was op Oliver, de neef van Philip (de man naar wie Athelie hartstochtelijk verlangde, maar die haar niet zag zitten). Ter hoogte van de etalage raakten mijn voeten een beetje uit de koers, en bleef ik stilstaan. Mike hield ook halt en beiden staarden we naar de slechte Athelie, die hoonde en lachte, en naar Kate, die huilend en smekend heen en weer liep.

Toen vermande Mike zich en liep haastig verder, hij sleepte mij met zich mee, doorbrak de betovering van de serie en trok me het veilige, nuchtere postwinkeltje binnen. Daar, achter het loket, zat mevrouw Credence (de maandagmiddag-postkantoorversie, de echte, niet de ware), in een mosgroen twinset en met haar zilveren medaillon om en haar droge glimlach om de lippen. Je zou in de verste verte niet vermoeden dat ze iedere morgen in alle vroegte gekleed in de cape en hoed van haar vader door een bos wandelde, en katten schoot met zijn geweer.

Mike kocht postzegels van haar en vroeg om een bonnetje, omdat Annie de postzegels van haar belasting aftrekt. Sommige postkantoren hebben gedrukte bonnetjes, maar niet dat van Benallan. Mevrouw Credence moest het met de hand uitschrijven.

'Hoe is het met de tuin?' vroeg hij, terwijl mevrouw Credence ijverig zat te schrijven.

'Ik zou niet weten wat ik zonder haar moest beginnen,' antwoordde mevrouw Credence. 'Ik heb haar zelfs gevraagd om mijn studeerkamer op te ruimen... Het is daar zo'n zootje. Eigen schuld, natuurlijk! Ik verbruik al mijn opruimenergie al aan dít kantoor.'

Ze keek me recht in de ogen, en de blik uit haar goede oog leek ons, heimelijk, aan elkaar vast te klinken. Alles wat ze zei klonk zo gewóón, niet meer dan alledaagse woorden die door het loketje naar buiten kwamen. Toch was die twinset een vermomming. Degene die het aanhad was een onechte figuur die zorgvuldig uitgedacht was door een mevrouw Credence die nooit werkelijk in de straten van Benallan te zien was.

'Waar was je vanmorgen?' vroeg ze me en ze voegde er schalks aan toe: 'Niet vergeten hoor! Ik heb je vooruit betaald.'

'Hallo,' zei opeens een stem achter ons en daar stond Ginevra. 'Ook toevallig dat we jullie tegenkomen! Kunnen jullie Sammy en mij mooi een lift geven. We hebben ons de benen uit het lijf gelopen in die deftige wijk hier.'

'Dan heb je pech. Wij zijn ook te voet,' zei Mike. Hij keek naar mevrouw Credence. 'Dit is mijn oudste dochter, Ginevra, die weer even thuis is. Ginevra, dit is mevrouw Credence, de werkgeefster van Hero.'

Ginevra grinnikte vrolijk naar mevrouw Credence.

'Bij je ouders op bezoek?' vroeg mevrouw Credence beleefd.

'Even aan het uitblazen tussen twee baantjes door,' zei Ginevra en lachte.

'We hadden haar moeten vragen of haar vader wérkelijk dood is,' zei Ginevra, toen we het postkantoortje uit liepen, zonder te weten op wat voor vreemde ideeën ze me daardoor bracht. En toen zagen we Sammy.

Thuis leek Sammy niet op zijn gemak en misplaatst, maar hier zag hij er ronduit onbetrouwbaar uit... nou, meer dan onbetrouwbaar. In het bekakte winkelcentrum van Benallan, met zijn parkeerplaats vol dure auto's, zag Sammy er absoluut verdacht uit.

Hij stond voor een sportwinkel te kijken naar schoenen die in de deuropening waren uitgestald. Het waren allemaal Nikes of Adidas – het soort schoenen dat op school gestolen wordt, zelfs op scholen als Kotoku House. Daar dacht de vrouw in de winkel ongetwijfeld ook aan toen ze naar buiten keek en Sammy daar zag staan in zijn grote flodder-T-shirt en shorts, zijn haar weggeschoren aan de zijkanten, maar bovenop in uitwaaierende krulletjes. Daar kwam ze al naar buiten, de stoep op, en zei iets tegen hem. We konden niet horen wát ze zei, maar haar stem klonk scherp. Sammy hief zijn handen omhoog om te laten zien dat ze leeg waren en deed een stap achteruit.

Ginevra schoot er als een pijl uit een boog naartoe.

'Laat hem met rust,' schreeuwde ze al rennend. 'Laat hem met rust!'

De vrouw draaide zich met een ruk om en begon Ginevra uit te leggen hoeveel paar schoenen ze wel niet kwijtraakten door winkeldiefstal, maar Ginevra stond al te roepen dat

Sammy het recht had om dingen te bekijken zonder beledigd te worden, terwijl Sammy gegeneerd met zijn ogen rolde en mompelde: 'Laat maar zitten! Hé! Laat maar zitten! O shit!' De vrouw keek met een paniekerige blik langs Ginevra heen – die praatte als iemand uit Benallan maar er, in haar ogen, moet hebben uitgezien als iets uit een griezelfilm – en herkende Mike. 'Meneer Rapper,' riep ze. 'Zeg haar – probeer haar alstublieft uit te leggen dat ik de belangen van de winkel in het oog moet houden.'

Een paar Benallanieten repten zich aan ons voorbij met een afstandelijke, keurige uitdrukking op hun gezicht, doodsbenauwd om in de onaangenaamheden van iemand anders verwikkeld te raken. Maar anderen, die wat verder weg stonden, konden het niet laten om geïnteresseerd te gaan staan toekijken, net of wij zelf in een etalage op de televisie waren.

'Sammy hoort bij ons, mevrouw Harley,' begon Mike.

'Niet waar,' gilde Ginevra, die zich nu tegen Mike keerde. 'Hij hoort verdomme bij zichzelf. Hij heeft jou niet nodig om te zeggen dat hij déúgt. En hij déúgt verdomme.'

'Maar hoe moet ík dat nou weten?' antwoordde mevrouw Harley met een zielige, blatende kakstem. 'Wij verliezen honderden dollars aan schoenen en het zijn meestal jonge mensen die...'

'Waarom zet u die verrekte schoenen dan op straat?' wilde Ginevra weten. 'En waarom moet u Sammy hebben? Omdat hij brúín is, of niet soms? Niet erg bruin, maar een beetje bruin! Dat is al genoeg, hè, als je een beetje donkerder bent dan alle anderen.'

'Hou op! Hou op!' zei Sammy. 'Bemoei je er niet mee.' Maar niemand luisterde naar hem, Ginevra nog het minst.

'Het spijt me,' begon mevrouw Harley, terwijl ze vuurrood aanliep onder haar gebleekte haar. 'Hoe moest ik dat nou weten? Het spijt me.'

Opeens hield Ginevra op, maar niet omdat ze de verontschuldiging accepteerde, of zo. Opeens eiste iets anders, iets onzichtbaars, al haar aandacht op. Toen ze weer iets zei, klonk haar stem ver weg, bijna dromerig.

'Nou, dat is dan maar goed ook,' begon ze, en zweeg toen weer. Er was iets mis met haar. Ik zag dat ze slikte en ik dacht dat ze zich misschien probeerde te vermannen om niet te gaan huilen.

'Hé!' zei Sammy, die haar bezorgd stond aan te kijken. 'Het is oké. Alles kits!' Hij keek naar mevrouw Harley. 'Het geeft niet hoor.'

'Nee!' viel Ginevra nu fel uit tegen Sammy, en ze deed haar best om weer net zo woedend te worden als eerst. 'Laat je nooit, nóóit op je kop zitten door zo'n Benallan-trut!' Maar ik keek naar haar, precies op het moment dat, wát het ook was waar ze tegen aan het vechten was, haar de baas werd. Haar blik ging zweven en werd minder fel; haar ogen werden wazig. 'Je moet stúg zijn,' zei Ginevra in Sammy z'n taaltje, maar haar stem begaf het. Ze wankelde en viel toen op de grond als iets wat is opgebruikt en weggegooid. Ik had nog nooit zoiets gezien. Ik dacht dat ze dood was.

Het ware leven

In de lichte, lange, late zomeravond ging ik op weg naar het huis van de Schele en liet de grote familiezang – de ene solo onderbroken door de andere, en plotselinge refreinen die de solo's weer onderbraken – achter me. Ik liet Ginevra achter, die in een stoel zat en steeds weer zei: 'God, ik voel me zo stom!' en Sap, met nog nat piekhaar terug van het zwembad, die haar vroeg of ze een toeval had gehad.

'Ik voelde me gewoon opeens heel raar worden,' zei Ginevra. 'Ik denk dat die botsing allerlei shockeffecten heeft veroorzaakt.'

Haar flauwte in het winkelcentrum van Benallan had nog geen minuut geduurd. Mevrouw Harley was de winkel in gerend en had haar een glas water gebracht, waarvan ze het grootste deel gemorst had, omdat haar hand zo vreselijk trilde. Mensen groepten om ons heen, sommigen om hulp aan te bieden, anderen om alleen maar belangstellend toe te kijken. Mevrouw Harley herhaalde steeds maar: 'Ik kon er niets aan doen.' Ze was echt overstuur.

'Ik kan lopen,' zei Ginevra tenslotte. 'Kom, we gaan naar huis.' Mike en Sammy namen haar elk bij een arm. 'Ik kan lopen,' riep ze, maar mevrouw Harley stond erop een taxi te bellen. De gebroeders Brett, die als timmerman-tandartsen spijkers met loden koppen stonden uit te trekken, en stukken ijzerplaat loswrikten, hadden gefascineerd naar beneden gekeken toen Mike en Sammy Ginevra de trapjes ophielpen.

'Alles in orde?' riep Colin vanaf het dak, in een poging erachter te komen wat er nu weer in deze spannende aflevering gebeurd was.

'Ja hoor,' zei Mike nogal geïrriteerd en de gebroeders Brett begonnen onmiddellijk twee keer zo hard te werken als eerst. Onder het geluid van voeten op de loopplank en het gekrijs van spijkers die uit ijzer en hout werden gewrikt, zetten we Ginevra in mijn blauwe stoel.

'Ik maak wel een kop thee,' bood Sammy aan, die er nog steeds geschrokken uitzag. Ik ging met hem de keuken in om hem te wijzen waar de theezakjes en zo stonden, en we draaiden om elkaar heen, terwijl we de ketel opzetten en de theepot warmden.

'Man, wat kan die een sténnis maken!' zei Sammy, doelend op Ginevra. 'Ram, de beuk erin! Slam dunk!' Hij praatte best veel, maar in zijn eigen taaltje, waarnaar ik maar moest raden. Hoe dan ook, we zetten samen thee, heel vriendschappelijk had ik het idee, bij elkaar gebracht door drama, gevaar en rampspoed. Toen gingen we Ginevra verwennen door overal kussens om haar heen te stoppen. Van tijd tot tijd zag ik, als ik door de bovenlichten omhoogkeek, de donkere schaduwen van de voeten van de gebroeders Brett langslopen en ik wist hoe makkelijk zij ons familieverhaal daarboven konden horen.

Het avondeten zou wel laat worden en ik dacht opeens aan mevrouw Credence en de manier waarop ze me er terloops aan had herinnerd dat ze me vooruitbetaald had – niet dat ze er vervelend over had gedaan, maar het was wel de bedoeling geweest dat ik het hoorde. Ik wilde dat geld nu helemaal niet meer. Ik wilde maar dat ik het had teruggegeven. Maar dat had ik niet gedaan. Ik had het aangenomen, en dat betekende dat ik geen keus had. Ik moest terug naar het huis van de Schele om mijn twintig dollar voorschot te gaan verdienen. Als dat eenmaal gebeurd was, dacht ik, zou ik nooit meer teruggaan, en na verloop van tijd zou ik me losmaken van de betovering, niet omdat de een of andere Joringel zou verschijnen en me zou aanraken met een bloedrode bloem om me te redden, maar omdat ik zelf een tovenares was en het in mijn macht lag om mezelf te redden. Dus liet ik Sammy en Sap achter om Mike te helpen bij het koken en liep naar het huis van de Schele.

Meestal voelde ik me, als ik Credence Crescent in liep, geconcentreérder worden, alsof ik super-echt was, terwijl de wereld om me heen ijler, bijna doorzichtig werd, alsof ik misschien wel dwars door muren zou kunnen lopen in plaats van eroverheen te moeten klimmen. Maar ditmaal veranderde er niets, noch aan de wereld, noch aan mij. Ik liet mijn vingers over de stenen van de muur van Credence gaan, las de graffiti en zag hoe iemand met een spuitbus de woorden 'DOOD AAN' in 'DOOD AAN DE PUNKS' had weggespoten en het woord 'KNUFFEL' ervoor in de plaats had geschreven. Terwijl ik dichterbij kwam bekeek ik het hek, en ik raakte zelfs even de roestige ketting aan die het dichthield en bedacht dat het nou niet bepaald een betrouwbare bescherming was. Dat heimelijke ongetemde dat ik in het diepst van alles om me heen voelde als ik alleen was, was er nog steeds, maar ditmaal stak het geen hand naar me uit om me binnen te halen. Ditmaal was ik buitengesloten.

En weer had ik het gevoel dat ik in de gaten werd gehouden, dat iemand wilde weten waar ik naartoe ging en waarom. Ik wierp af en toe een blik over mijn schouder, maar zag niemand die me bespioneerde. Dat had ik ook niet echt verwacht, ondanks dat griezelige gevoel van ogen in mijn rug.

Toen was ik weer in de geheime tuin. Ik liep langs de eerste vier bomen van de lindelaan, naar een boom waarvan ik wist dat ik daar makkelijk in kon klimmen en klom erin. Ik baande me een weg door de vertrouwde takken en zag het huis met zijn starende witte oog dichterbij komen. Toen liet ik me op het dak van de gereedschapsschuur omlaag glijden, en vandaaruit naar de grond.

De voordeur stond open, net als op zaterdagavond. Ik klopte, maar opnieuw kwam er geen antwoord. Ik liep de gang in en keek naar de stoffige huiden die aan de haken hingen, en naar de dierenkoppen die me met glazen ogen aanstaarden waarover een stoflaag lag, als een doodsvlies. Toen liep ik verder, de studeerkamer voorbij, en staarde naar de derde deur, de deur die dicht was en afgesloten met een code.

Toen ik die ochtend wakker was geworden, en onderweg naar school had ik bedacht dat het vast de studeerkamer met zijn twee schilderijen was waar ik zo bang voor was, maar nu realiseerde ik me dat ik ook, ergens achter in mijn hoofd, aan deze gesloten deur had gedacht en aan het metaalachtige toetsenbordje onder het kleine roostertje. Iedereen weet dat mensen veiligheidssystemen nodig hebben buiten aan een huis. Maar wie heeft er nou binnen eentje nodig? Ik dacht aan het blad met dat ziekenhuiskopje erop en toen aan thuis, hoe ze zich hadden zitten afvragen of professor Credence wel écht dood was. Op de een of andere manier begon er, heel moeizaam, een verhaal te ontstaan.

Ik liep de zitkamer binnen en bleef verrast staan. Er lag een hele berg gebroken porselein op de grond... niet zomaar één of twee borden, maar ook kopjes en schoteltjes – en een melkkannetje en een grote schaal. Ik voelde hoe mijn voorhoofd zich fronste van verwarring en ontzetting.

Maar precies op dat moment kwam mevrouw Credence uit de keuken tevoorschijn. 'O, daar ben je,' zei ze opgewekt. 'Mooi. Ik kan wel wat hulp gebruiken. Je zult wel denken dat ik het huis wel wat netter zou kunnen houden, maar dat soort dingen deed mijn moeder altijd. Ze was een goede huisvrouw en ze was er trots op alles altijd keurig in orde te hebben, en mijn vader wilde niet dat ik daarmee belast werd, de schat; hij wilde dat ik me toelegde op dingen waar meer verbeeldingskracht voor nodig is – dat wil zeggen, totdat mijn moeder doodging, want toen puntje bij paaltje kwam, wilde hij wel dat alles om hem heen netjes was.' Ze keek omlaag naar de berg gebroken porselein en leek zich er net zo over te verbazen als ik. Maar ze gaf geen verklaring en kwebbelde vrolijk verder toen ze me terug de gang in leidde, richting studeerkamer. '"Nou," zei ik tegen hem, "je hebt altijd gezegd dat je wilde dat ik vloog. Je hebt me opgevoed met het idee dat ik me moest bezighouden met andere dingen dan huishoudelijk werk. Zoek maar iemand anders om je rommel achter je op te ruimen." Maar hij was al ziek en hij wilde niet dat er een vreemde door het huis liep en als ik er nu op terugkijk, kan ik dat ook wel begrijpen, al vind ik het natuurlijk niet erg dat jíj hier bent. Het lijkt er écht op dat wij twee een bijzondere verstandhouding hebben, vind je niet?' Ze zweeg, niet om te luisteren naar een antwoord dat ik misschien wel opeens zou geven, maar gewoon om op adem te komen.

'We beginnen hier, want hier doe ik het meeste van mijn werk, ik bedoel mijn échte werk, want dat baantje op het postkantoor tel ik niet mee, dat is alleen om aan geld te komen, al ben ik dan ook de enige vrouw in de stad die een volledige postwinkel onder zich heeft, en nog wel de postwinkel van Benallan, wat inhoudt dat ik met veel zakenmensen van doen heb, en ook mensen van de universiteit, zoals je moeder. Dat is ook een manier van vliegen, neem ik aan.'

Het bureau was overdekt met stapels paperassen en elke stapel werd op zijn plaats gehouden door een of ander klein voorwerp – een koperen olifant, een gespikkelde steen, een kandelaar, enzovoort. Ze had het wel eens over haar werk gehad, maar je kon zo zien dat deze papieren al in geen tijden meer waren opgetild of gesorteerd. Je merkte het niet alleen aan het stof. Papier gaat er op den duur ook zo op zijn eigen manier bij liggen, als het niet wordt aangeraakt.

Vanaf de muur staarde professor Credence me met zijn verlegen glimlach aan en de afschuwelijke, geschilderde Ginevra, die hier in huis 'Rinda' werd genoemd, keek over haar schouder. Maar ik was er zeker van dat er nooit een Rinda geweest was. Mevrouw Credence had voor zichzelf een dochter gefantaseerd, uit een mengeling van verlangen en eenzaamheid, en had haar het gezicht gegeven van een kind dat beroemd was om haar intelligente uitspraken.

'Ik denk dat je maar met de boekenkasten moet beginnen,' zei mevrouw Credence. 'Haal de boeken er op volgorde uit en zet ze ook weer op volgorde terug (dat moet je ook echt doen, want ik heb ze zo neergezet als ik ze hebben wil), daarna veeg je de planken schoon, wrijf je ze in met meubelwas, en zet je de boeken weer precies zo terug als ze stonden. Ik hoef je natuurlijk niet te vertellen dat je niets mag lezen van wat er op het bureau ligt.' (Haar stem, die er al die tijd heel snel op los gebabbeld had, vertraagde, en klonk heel weloverwogen, toen ze dit zei, en mevrouw Credence keek me streng aan.) 'Het is allemaal persoonlijk, maar ik weet dat ik je kan vertrouwen,' voegde ze eraan toe. Het klonk allemaal heel recht door zee, en toch slaagde ze er in de indruk te wekken dat we eigenlijk een of ander geheim deelden.

Maar er was geen geheim. Of, als het er al was, dan had ik er geen idee van wat het kon zijn.

Opeens barstte dat *slorpende* geluid, dat ik voor het eerst in de zitkamer had gehoord, weer los om me heen.

'Dat zijn de leidingen,' riep mevrouw Credence en bonkte tegen de muur bij de deur, als om alle leidingen die daar wellicht achter het gevlekte hout zaten het bevel te geven zich te gedragen. 'Er komen luchtbellen in. Laten we een emmer water aftappen, dan kan het weer ongehinderd doorstromen. En dan halen we meteen de stofdoeken en de olie als we daar toch zijn. Dan kun jij je aan het goede eerlijke werk begeven.' Ze lachte er toegeeflijk bij, alsof ze me iets aanbood waar ik naar verlangd had.

We liepen naar de keuken. De groene emmer die ze voor me tevoorschijn haalde was in geen tijden gebruikt. De lappen die over het hengsel hingen waren hard en grijs als planken. Mevrouw Credence pakte een nieuwe fles meubelwas, dezelfde die Mike in zijn supermarkt kocht, en las zorgvuldig het etiket, alsof er een gevaarlijk medicijn in zat.

'Goed wrijven!' verkondigde ze. 'Met een zachte, droge doek.' Ze trok een theedoek van het rek en gaf die aan mij. 'Neem deze maar. Het is een oude.' Weer klonk er een geslorp. 'Die leidingen!' zei ze en bonkte op de muur, maar mij hield ze niet voor de gek. Dit geluid zat absoluut in de lucht, niet in de muur.

We lieten de emmer half vollopen uit de sijpelende kraan boven de gootsteen en ik volgde haar weer naar de studeerkamer.

'Nou, dan laat ik je maar alleen,' zei ze, en bleef toen aarzelend en fronsend staan, terwijl haar mond openging en weer dicht. 'Voorzichtig zijn met alles op het bureau,' zei ze tenslotte met diezelfde vreemde weloverwogenheid die ik eerder ook al in haar stem gehoord had. 'Alles ligt gesorteerd in speciale stapels.' En toen keek ze aandachtig naar het bureau, zodanig fronsend, dat het leek alsof ze met haar wenkbrauwen iets aanwees. Tenslotte lachte ze snel even naar me, glipte de deur uit en deed hem zachtjes achter zich dicht, net of ik sliep en niet gewekt mocht worden.

Er kraste iets tegen een raam, waarvan één hoek bedekt was met zulke dikke spinnenwebben, dat het wel grauwe vodden leken. Een boom aan de andere kant van het glas strekte een tak naar me uit en wenkte me terug naar een veilige plek tussen de bladeren. Maar daar was het al veel te laat voor. Ik was uit de bomen naar beneden gekomen. Het verhaal waar ik nu deel van uitmaakte was nog beroemder dan *Het Jungleboek*. Iedereen kende het, zelfs mensen die nooit een boek lazen. Het was het verhaal van een bruid die overal mocht komen in een huis, behalve in één verboden kamer. Natuurlijk kon ze uiteindelijk de verleiding niet weerstaan om die kamer binnen te gaan, en daar vond ze andere bruiden, allemaal dood, opgehangen. Dat verhaal heet *Blauwbaard.*

Het ware leven

Annie praat altijd nogal ongeduldig over de manier waarop haar grootmoeder haar heeft geleerd om de was op te hangen en de vaat af te drogen. 'Ze deed altijd alsof was ophangen een speciale vaardigheid was, maar als je niet de kans krijgt om iets anders te doen, zul je er op de een of andere manier misschien wel een vaardigheid van maken,' hoorde ik haar eens zeggen. 'Ho, ho!' riep Mike verontwaardigd, want al jarenlang was hij degene die bij ons thuis de was deed. 'Is jouw oma opgegroeid met een wasmachine en een centrifuge? Was drogen was in die dagen waarschijnlijk inderdaad een vaardigheid.'

Het punt is dat niemand in onze familie ooit enige waardering was bijgebracht voor dat soort vaardigheid. Op huishoudelijk werk staat geen naam, zoals op boeken. Het blijft niet lang genoeg stilstaan om er je handtekening onder te zetten, of om door te gaan voor kunst.

Dus toen ik begon met wat mevrouw Credence me had opgedragen, voelde ik me onhandig en bepaald niet in mijn element. De boeken stonden dicht opeengepakt op de planken. Ze waren in geen tijden van hun plek geweest. Het was niet zo dat de omslagen aan elkaar plakten, maar het was wel met de nodige tegenzin dat ze uit elkaar gingen, als geliefden in een sprookje die uit een kus worden losgerukt. Op de bovenkant lag een dikke laag stof – zo dik dat het, als ik het wegblies of de boeken tegen elkaar sloeg, om me heen omhoogwervelde. Het duurde een eeuwigheid voordat ik de eerste boekenkast fatsoenlijk schoon had en de boeken waren ook al niet bijster interessant. Ik kwam in ieder geval niet in de verleiding erin te gaan zitten lezen.

De eerste paar planken stonden helemaal vol met ingebonden exemplaren van een tijdschrift, *Filosofie en Literatuur* – jaargangen en jaargangen van *Filosofie en Literatuur*, gehuld in lagen stof. Ik sloeg er een van open en zag een artikel, 'Onderzoekingen van het Zelf via de Vertelling,' of zoiets. Dat interesseerde me. Vertelling is immers een ander woord voor verhaal en ik deed niets anders dan proberen om mijn eigen leven in te passen in een of ander verhaal. En ik was de enige niet. Ik begon ondertussen te begrijpen dat mevrouw Credence ooit een vogelmeisje had willen zijn – uit de kooi had willen breken en wegvliegen. Ze had het sprookje van Grimm gebruikt als springplank, ongeveer zoals ik *Het Jungleboek* had gebruikt. Maar goed, de eerste boekenkast had ik af en over de volgende deed ik een stuk minder lang. De studeerkamer schoonmaken was natuurlijk niks viezer of vuiler dan tuinieren, maar het vóélde viezer en ik begon erg te verlangen naar een stofzuiger die een veilige afstand schept tussen het vuil en degene die schoonmaakt.

Tenslotte pauzeerde ik even en slenterde naar het bureau toe. Daar, tussen de stapels papier stond, rechtop tegen een jampot vol pennen, een boek met een slot, dat werd opengehouden door een steen, en bepaald geen gewone steen. Een fossiel! En ik mocht dan niet zo goed zijn in het schoonmaken van planken, ik wist wél iets van fossielen af. Dat wezentje, dat ooit geleefd had en nu in steen was veranderd, was een trilobiet. Miljoenen jaren geleden hadden trilobieten de wereld geregeerd.

Het boek was een speciale agenda om verjaardagen in te noteren, zorgvuldig geopend op een bladzijde begin september. Daar vóór me stond de verjaardag van mevrouw Credence genoteerd en haar volledige naam, Miranda Star Credence, was neergeschreven in een elegant, ouderwets handschrift. Heel even was het of ik de naam herkende, ook al had ik hem nooit volledig gehoord, maar toen realiseerde ik me dat wat ik herkende niet haar naam was, maar de datum – 0809 – wat ook de code was voor het hek aan de Credence Crescent. Bijzonder slim moest je niet zijn om die te herkennen. Mevrouw Credence had hem boven aan de bladzijde opgeschreven met nullen en al. En ondanks alles, ondanks het feit dat ik het eigenlijk al doodeng vond om daar in die studeerkamer te zijn, in de gaten gehouden door de schilderijen van professor Credence en Ginevra-veranderd-in-Rinda, begon ik toch buiten mijn wil om nieuwsgierig te worden. Ik herinnerde me hoe de kromme wijsvinger van mevrouw Credence twee keer op de eerste toets van het paneeltje had getikt bij de voordeur van het huis, en aangezien het huis en het hek hetzelfde soort codepaneeltje hadden, wist ik nu dat die eerste toets een '1' moest zijn geweest. De huiscode moest dus beginnen met twee enen... misschien de elfde van iets. Ik probeerde mezelf wijs te maken dat ik het alleen maar even controleerde, en bladerde terug naar 11 januari. Niets! Dus bladerde ik van maand naar maand, van de ene 11de naar de volgende, en opeens stond het er, op 11 augustus. Boven aan de bladzijde, met potlood geschreven, stonden de getallen 1108, en eronder stond weer een verjaardag genoteerd... Conrad Hilary Credence, geboren 1906. Er stond geen sterfdatum bij.

De nieuwsgierigheid welde in me op, groeide aan en stak haar klauwen naar me uit. Heel stilletjes ging ik de studeerkamer uit en, nadat ik even naar die andere gesloten deur aan het eind van de gang had gekeken, glipte ik door de voordeur naar buiten en trok hem achter me dicht. Tenslotte kon ik altijd kloppen of bellen om weer binnengelaten te worden. Mevrouw Credence zou kunnen vragen wie er aan haar deur klopte. 'Trek maar aan het touwtje, dan gaat de deur vanzelf open,' zou ze tegen me zeggen. Niet dat ik zou antwoorden. Ik zou gewoon aanbellen en blijven bellen. Uiteindelijk zou ze me wel weer binnen móéten laten.

Ik probeerde de code 1108. Er klonk een zachte klik. Ik

duwde tegen de deur en hij ging makkelijk open. Ik deed hem dicht en probeerde het nog een keer. Toen ging ik terug naar de studeerkamer en de boekenkasten, opgewonden, al wist ik zelf niet zo goed waarom. Ik was toch zeker nooit van plan geweest om in het huis van de Schele in te breken?

Nog meer ingebonden exemplaren van tijdschriften! Nog meer stof! Maar mijn gepoets en gewrijf leverden wel degelijk iets op. De boekenkasten begonnen er onverwacht gewichtig uit te zien. Al die boeken, allemaal even groot en even dik, stonden zo keurig in het gelid op de planken.

Ondertussen had zich in mijn hoofd een patroon gevormd en na een poosje kon ik het niet laten. Daar ging ik weer, terug naar het verjaardagsboek, en bladerde van de ene lege bladzij naar de volgende. Ik kwam bij het eind van december en begon weer van voren af aan. Ditmaal vond ik wat ik zocht, al verraste het me wel toen ik het vond. Daar stond het...Jorinda Carmen Emily Credence, 24 februari. Geschreven met potlood boven aan de bladzijde, bijna alsof iemand wílde dat het makkelijk te vinden was, stonden de cijfers 2402, zo vers en duidelijk alsof ze er pas gisteren waren neergeschreven. Ik had de codes voor het hek en voor de voordeur. Nu had ik naar alle waarschijnlijkheid een derde code voor een derde deur – voor de gesloten deur aan het eind van de gang.

'Schiet het al een beetje op?' De stem van mevrouw Credence kwam aanzweven door de gang en drong zich onder de deur door. Snel en geruisloos zette ik het boek op het bureau en schoot terug naar de tweede boekenkast, net voordat zij de kamer binnenstormde. 'O, wat góéd van je, dat ziet er stukken beter uit. Zo zie je maar weer wat je kunt doen met een beetje liefde en zorg, vind je ook niet, en het zou mijn vader zo gelukkig maken om zijn boeken afgestoft en keurig in volgorde te zien. Weet je, toentertijd was hij de enige Nieuw-Zeelander van wie artikelen gepubliceerd werden in *Filosofie en Literatuur.* Natuurlijk was er jaloezie en hij had niet veel vrienden onder zijn collega's, maar daardoor werd het des temeer de moeite waard voor hem toen ik groter werd en zijn essays kon lezen en er met hem over kon praten, zodat hij zich minder geïsoleerd voelde. Hij was eenzaam, de arme man, omdat de anderen gewoon niet aan hem konden tippen... ze waren goed genoeg op hun manier, maar toch niet echt van zijn niveau, behalve dan Clemence, maar Clem was zoveel jonger. Mijn vader verloor steeds een beetje zijn geduld met Clem, wat niet altijd eerlijk was, want Clem was intelligent...' Hier stopte haar geratel. Ze pauzeerde, maakte haar zin niet af, maar brak hem af, zodat hij bloedend in de lucht bleef hangen. Toen ging ze weer op volle kracht verder. 'En in het begin kwam Clem hier dan wel om met mijn vader te praten, maar op den duur begon hij heel veel voor míj te voelen...' Haar mond bleef een beetje openhangen toen ze opnieuw even zweeg om weer op adem te komen en dan weer verderging. 'Maar er zat geen toekomst in omdat mijn moeder overleed. Het arme mensje, ik geloof dat alles haar te veel was geworden, *in meer dan één opzicht.*'

Die laatste opmerking liet ze bijzonder veelbetekenend klinken, met een knikje erbij, bijna een knipoog, alsof ik wel begreep waar ze het over had. 'Maar goed, wat zou je vinden van morgenavond? Er is nog een hoop te doen, maar we moeten ons lángzaam haasten. Beloof je me dat je terug zult komen om de boekenkasten af te maken en de muren af te stoffen en dat soort dingen?' Ze liep naar het schilderij van Ginevra-Rinda en keek glimlachend in de ogen van het lachende kind. 'En met Rinda ging het eigenlijk net zo. Ik bedoel, we hebben altijd een heel goede band gehad, maar uiteindelijk riep de wereld haar en als de wereld je roept, moet je gaan, dus moest ik haar opgeven, maar op de een of andere manier, ik weet niet hoe dat komt, hou je je kinderen dicht bij je door ze te laten gaan, vind je niet? O, en je zou ook alle lijsten kunnen afstoffen. En eens goed in de hoeken vegen.'

Ik realiseerde me dat mevrouw Credence, door te praten over wat ik morgen allemaal zou kunnen doen, me duidelijk maakte dat ik moest vertrekken. Toen ik naar buiten liep volgde ze me naar de deur.

'Ik heb nog wat tijd van je te goed,' riep ze me na toen ik de lange oprit afliep. 'Niet vergeten!'

De zon was ondergegaan en ik liep door een heldere schemering naar huis. Ik denk dat ik eigenlijk al wist wat ik de volgende dag zou doen, maar ik beraamde het in het diepste geheim, zelfs voor mezelf, omdat ik niet wilde toegeven dat ik ook maar iets aan het beramen was.

Het echte leven

Ons huis in Edwin Street veranderde van het ene ding in het andere toen ik erop afliep. Eerst leek het een gevangene die probeerde te ontsnappen uit een kooi van buizen en loopplanken. Maar toen de rij verlichte ramen aan de zijkant opdoemde, veranderde het in een stripverhaal.

Athol zat op het verandatrapje te lezen. Nou ja, hij hield een open boek op zijn knieën. Misschien had hij het alleen mee naar buiten genomen als een soort beschutting.

'Hai!' zei hij. Ik keek naar rechts, naar links, omhoog en omlaag. Niemand!

'Hai,' mompelde ik terug, als een goed getrainde echo.

'Waar is Sammy?' vroeg hij. Dat verbaasde me zeer.

'Weet ik niet,' zei ik en schudde mijn hoofd alsof ik nog steeds zweeg, ook al was ik aan het praten.

'Nou, ik hoop dat hij snel komt opdagen,' zei Athol. 'Niet dat het hier erg leuk voor hem is, arm joch. Ik bedoel, zelfs jíj ziet er opgejaagd uit, en jij bent eraan gewend.'

Op dat moment had ik naast hem op het trapje kunnen gaan zitten en hem alles kunnen vertellen... over de rode kater en dat blad met dat ziekenhuiskopje erop, en ik zou zelfs hebben kunnen fluisteren dat het kind op het schilderij onmogelijk iemand kon zijn die Rinda heette. Ik had zelfs kunnen opbiechten dat ik het vermogen kwijt was om in iets wonderbaarlijks te veranderen, en dat mijn geheime verhaal op de een of andere manier ontsnapt was en mij nu met opengesperde kaken op de hielen zat.

Maar in plaats van hem iets te vertellen, stelde ik alleen maar een vraag.

'Wat doe jij hier buiten?'

'Te veel lawaai daarbinnen,' zei hij, terwijl hij met zijn

duim over zijn schouder naar onze voordeur wees. 'Mike is waarachtig eens kwaad geworden, op ons allemaal, zelfs op Annie. En Sap is met knallende deuren naar haar kamer vertrokken waar ze zit te mokken, omdat iedereen voortdurend zat te roepen dat ze haar mond moest houden. En Ginevra maakt zich zorgen over Sammy, maar tegelijkertijd zegt ze tegen alle anderen die zich zorgen maken dat hij uitstekend op zichzelf kan passen, wat waarschijnlijk ook waar is. En nu kom jij hier opdagen met een gezicht alsof je je rot geschrokken bent. Heb jíj soms iets met Sammy uitgespookt? Hem een klap op zijn kop gegeven en het lichaam begraven bij het huis van de Schele?'

'Ik heb hem niet gezien,' zei ik.

Ik voelde de woorden tussen mijn lippen vandaan vliegen alsof ze er niet langer op konden wachten om vrij te zijn. Eenmaal uitgesproken waren ze weg, en een deel van mij was met hen verdwenen. Dus deed ik mijn mond snel weer dicht, voor het geval er nog andere woorden achteraan kwamen vliegen en al mijn toverkracht uit me zouden laten wegvloeien, zodat ik saai en gewoontjes zou worden. Ik rende langs Athol het trapje op, niet om het huis binnen te gaan, maar om de ladder van de gebroeders Brett op te klimmen naar de loopplank. Athol keek me lachend na.

'Stap niet per ongeluk achteruit,' zei hij. En toen leek hij tot een of ander besluit te komen, sprong overeind en rende naar binnen met zijn boek onder zijn arm.

De planken voelden onder mijn voeten dik en veilig aan, maar ik wilde niet gezien worden. Ik liet me op handen en voeten zakken en kroop voorzichtig naar de plaats waar Sap en ik zaterdag hadden gezeten, en net als toen zweefde het geluid van een stem, die van Mike, naar me omhoog.

'Mensen kunnen net zo ziekelijk doen over moeilijkheden als over geluk,' zei hij en ik wist dat hij het tegen Annie had. 'Laten we nou vooral niet sentimenteel in de ellende gaan zitten zwelgen... niet dat we niet wat moeilijkheden hebben, maar zó slecht gaat het ons nou ook weer niet.'

'Nou ja, ik weet wel dat het het leven niet kan schelen of we gelukkig zijn of niet, zolang we maar blijven – je weet wel – zolang we maar blijven volhouden,' viel Annie hem bij. 'Maar...'

'Juist!' viel Mike haar in de rede. 'Dus niet zo trutten! Niks geen gemaar.'

'Waarom doet iedereen net alsof ik denk dat ik volmaakt ben en eens nodig op mijn nummer gezet moet worden?' riep Annie.

'Omdat je er bént!' lachte Mike.

Hun zachte stemmen stegen als rook op van onder het glas van de open bovenlichten.

Ik kroop verder naar het volgende verlichte raam... het volgende plaatje in het Rapper-stripverhaal.

'Ik wíl het wel vertellen,' zei Ginevra, 'maar ik wil niet dat iedereen denkt dat ik terug naar huis ben gekomen omdat ik verslagen ben. Ik wil geen excúses aanbieden.'

'Doe dat dan niet!' zei Athol. Ze moesten dit gesprek net begonnen zijn, want nog maar een paar minuten geleden had Athol op het trapje gezeten, en toch klonk het alsof ze al uren hadden zitten praten. Misschien hadden ze de draad opgepakt van iets waar ze het de hele dag al zo'n beetje over gehad hadden.

'Voor jou is het makkelijk. Jij woont in sprookjesland,' zei Ginevra spottend.

'Nou, excuseer mijn rode puntmuts!' riep Athol. 'Ik geef toe dat ik er weinig lol aan zou beleven om auto's in elkaar te rijden, als het dat is wat jij onder de echte wereld verstaat, maar het is nou ook weer niet zo dat ik op een andere planeet woon. Als je het aan Annie vertelt, denk ik dat zij zich voor god mag weten wat allemaal gaat lopen verontschuldigen en je vervolgens ongeveer dood zal knuffelen – wat, gezien jouw toestand, niet al te moeilijk kan zijn.'

Ik kroop voorzichtig verder naar het derde raam aan die kant van het huis. Het was er doodstil, maar vreemd genoeg was dit de enige kamer waar ik tenminste iets kon zien. Ik keek omlaag door de smalle open spleet en zag Sap op haar bed liggen. Ik schrok me rot van haar, want ze lag te schokken en te kronkelen als het monster van Frankenstein waar elektriciteit doorheen stroomde. Maar toen zag ik dat ze haar walkman op had en op het ritme van de muziek een soort horizontale dans uitvoerde. Ik meende er zelfs de invloed van Sammy in te kunnen bespeuren.

Ik bleef nog even zitten kijken en kroop toen naar de volgende hoek in de loopplank en het raam van de studeerkamer, dat donker was. Maar ik ging de hoek niet om. In plaats daarvan ging ik rechtop staan om, op de steiger geleund, te kijken naar de lichtjes die overal in het zuiden aangingen en om naar de verlichte zuilen van het stadscentrum te turen.

Daar stond ik, alweer hoog boven alle anderen, op de wereld neer te kijken, en opeens voelde ik dat ik in iets anders begon te veranderen. Ik wist niet waarin. Het was nog te vroeg om te zeggen wie het nou precies was die daarboven geboren werd. Maar ik voelde hoe die nieuwe persoon, een persoon die echt én waar was, zich ontworstelde aan het omhulsel van Jorinda, het vogelmeisje, dat zich, op haar beurt, ontworsteld had aan het naamloze kind van de bomen.

Vijf minuten later liep ik terug om het huis, zonder me er nog langer druk over te maken of iemand me daarboven kon horen rond klossen. Onder het lopen keek ik opzij en ving een glimp op van Sap, alleen in haar kamer, toen zag ik Ginevra, heel even maar, die zei: 'Ik heb echt genoten van dat Stock Car Circus, als was ik er meestal wel tamelijk eenzaam.' Ergens onder het volgende raam riep Annie opeens uit: 'Maar dan word je zo éénzaam.'

Ik vroeg me af of de gebroeders Brett ons zo zagen... een

stripverhaal dat raam na raam voorbijflitste, woorden die omhoogdreven in tekstballonnetjes, bij elkaar geschaard als elk ander gezin, maar ook eenzaam.

En daar, in de schemering, stond Sammy naar mij te staren alsof ik een geest was. Hij stond onder aan het trapje en zag er buitengesloten uit, en veel eenzamer dan iemand in huis maar kon zijn. Maar misschien zag ik er in zijn ogen wel net zo alleen uit, zoals ik daar stond boven het warme licht dat zich door het raam over de veranda verspreidde, half opgelost in de duisternis, met mijn stilte om me heen als een kring die niemand kon betreden.

4

Het echte leven

Weer een ontbijt. Vroeg of laat komt er altijd weer een ontbijt. We worden aangespoord er vooral niet op te beknibbelen. Het moet ons tot rust brengen, zodat we ons niet te luchthartig voelen en als een ballon de dag in drijven.

Sammy hing weer eens languit in mijn blauwe stoel, met zijn ellebogen die er aan weerszijden uitstaken en zijn kolossale voeten in hoge gympen naast elkaar voor hem. Als er een stoel in de buurt van de deur had gestaan denk ik dat hij daarin had willen zitten. Buiten, boven ons, schuifelden langzaam en voorzichtig voeten voorbij. Colins stem riep: 'Oké! Laat maar los, ik heb hem.'

'Eet je cornflakes op. Goed eten is het beste middel om gezond te blijven!' zei Mike in de keuken.

'Goed eten is het beste middel om het vetste middel te krijgen!' antwoordde Sap, terwijl ze haar handen in haar middel zette en met haar heupen wiegde. 'Ik moet aan mijn lijn denken.'

'Ik dacht dat jij veel te geëmancipeerd was om je druk te maken over dat soort dingen,' zei Athol, die, naar één kant overhellend onder het gewicht van zijn boek, langs haar liep. Hij bleef even staan toen hij zag dat ik al aan de tafel zat... heel eventjes maar, maar genoeg om me te laten zien dat hij eraan gewend was om de hele tafel voor zichzelf te hebben. Maar dit ontbijt was net de theevisite uit *Alice in Wonderland:* iedereen moest een plaatsje opschuiven om ruimte te maken voor Sammy.

En toen kwam er een mitella de kamer binnen, met Ginevra's gipsen arm erin en Ginevra erachteraan. Ze nam niet de moeite om goedemorgen te zeggen of naar iemand te kijken, behalve naar Annie.

'Annie,' zei ze, terwijl ze op Annie toeliep, zodat ze oog in oog met haar kwam te staan. 'Luister. Ik zeg dit maar één keer. Luister je ècht?'

Athol, die net zijn boek opensloeg, stokte in zijn beweging. Sap bleef staan. Mike verscheen in de deuropening van de keuken. Ik keek niet wat Sammy deed (want ook ik draaide me naar Ginevra toe), maar ik neem aan dat hij ook naar haar zat te kijken. Wat Annie betreft, die vergat op slag alles. Het enige wat ze wilde, was luisteren naar wat Ginevra te zeggen had.

'Weet je nog dat ik zei dat ik best voor mezelf kon zorgen?' vroeg Ginevra. 'Nou, dat is ook zo, maar ik heb hulp nodig – gewoon een heel klein beetje. Ik bedoel, ik heb genoeg geld om een aanbetaling te doen op een huis en dat ben ik ook van plan, want ik wil niet terug in het circuit, ook niet als mijn arm genezen is. Ik weet dat ik gezegd heb dat het allemaal fantastisch was, maar – nou ja, ik kreeg er de balen van. En trouwens, zelfs al zou ik de rest van mijn leven auto's in elkaar willen rijden, het gaat niet. Ik ben in verwachting.'

Achter haar zag ik hoe Mike zijn hoofd vastgreep alsof het open begon te splijten en hij het opeens bij elkaar moest houden. Hij keek alsof hij zich rot geschrokken was. Ik denk niet dat de stilte nog stiller werd, maar hij leek ineens barstensvol te zitten met alle dingen die gezegd zouden kunnen worden. Iedereen keek van Ginevra naar Annie.

'Nou, dat is dan gezellig,' zei Annie, 'want ik ben ook in verwachting.'

'Jij!' gilde Ginevra. 'Op jóúw leeftijd!'

'Ik ben zesenveertig,' zei Annie. 'Het is kennelijk nog mogelijk.'

'Maar je bent te oud. Het is te gevaarlijk,' riep Ginevra.

Annie lachte.

'Dat moet jij nodig zeggen!' riep ze uit. 'Hoe heette dat ook weer? Van Sedan naar cabriolet in tien seconden? We hebben allemaal zo onze eigen manier van gevaarlijk leven.'

Ginevra zweeg even en keek Annie fronsend aan.

'Hoever ben je?' vroeg ze tenslotte.

'Iets meer dan drie maanden,' antwoordde Annie.

'Aha! Ik ben vier maanden ver. Lig ik eindelijk eens op je voor,' zei Ginevra en barstte toen in lachen uit. Hoewel zij degene was die zich schuldig had moeten voelen, was het Annie die onzeker keek en zwakjes glimlachte.

'Ik heb een rekenfoutje gemaakt. En ik moest het bezuren,' ging Ginevra verder. 'Niet dat ik het erg vind, absoluut niet... nu niet meer. En trouwens, ik hield echt van Sammy's vader, ook al... maar daar wil ik niet over praten. Dat komt nog wel eens!'

'O, Ginny,' zei Annie. 'Ik weet niet wat ik moet zeggen...'

'Zeg maar gewoon dat je blij voor me bent,' riep Ginevra. 'Zeg maar dat de baby welkom is. Zeg maar dat je zult babysitten.' En ze sloeg haar goede arm om Annie heen. Het was heel anders dan die eerste omhelzing, tijdens dat eerste ontbijt, vier dagen terug, want ditmaal leken ze tegen elkaar aan te zakken, al probeerde Annie niet op Ginevra's gebroken arm te leunen.

'Dan word ik tante!' riep Sap uit. Ik zag hoe ze naar zichzelf omlaag keek. 'Een kind-tante,' voegde ze eraan toe en het klonk alsof het idee haar wel aanstond.

'Was het bij jou ook een rekenfoutje?' vroeg Ginevra.

Annie wees met haar duim over haar schouder beschuldigend naar Mike.

'We weten allemaal dat híj het gedaan heeft,' zei Athol. 'Daar waren we al achter.'

'Ik wílde dit kind echt graag,' riep Mike, die zich in de verdediging gedreven voelde. 'Ik bedoel, toen ik eenmaal wist dat het op komst was, wilde ik het graag.'

'Je bent vast een masochist,' zei Athol.

Toen kwam er over Mikes hoofd rook uit de keuken drijven en de geur van verbrand brood. Een sneetje brood was met zijn korst klem blijven zitten in de broodrooster, zodat het er niet meer uit kon springen zoals het hoorde. Sap begon om Ginevra heen te dansen.

'Dan word je een alleenstaande moeder,' riep ze. 'Je zult verstrikt raken in het net van de armoede.'

'Niks hoor,' zei Ginevra boos. 'Met mij komt het wel goed, zodra ik alles op een rijtje heb. Maar voordat ik alles op een rijtje kan gaan zetten, moet mijn arm eerst genezen.'

'O god, auto's in elkaar rijden!' riep Annie opeens uit. 'Weet je zeker dat alles goed is met de baby?'

'Waarschijnlijk wel, zeggen ze,' zei Ginevra. 'Niemand kan dat ooit echt zeker weten, toch? Maar ja, een kind van mij móét wel tegen een stootje kunnen.'

'Dan word ik Sammy's tante,' zei Sap. 'Of zoiets! Mag een tante met haar neef trouwen?'

Ze keek vol bewondering naar Sammy, die snel de andere kant op keek.

Toen ging de telefoon.

'O shit,' zei Annie. 'Dat is vast Carrington.'

'Weet híj al dat je in verwachting bent?' riep Sap. 'Dat maakt hem vast stikjaloers.'

Maar het was Carrington niet.

'Het is voor jou,' zei Annie en stak de hoorn naar me uit. 'Waarom bezorg je me niet écht de dag van mijn leven door zomaar páts iets terug te zeggen?'

'Dat heb ik gelukkig niet gehoord,' mompelde Athol.

'Ben je daar? Ben je daar?' vroeg mevrouw Credence aan de andere kant van de lijn. Ze vroeg het nog een paar keer. 'Ik weet dat je niks terugzegt,' ging ze tenslotte verder en ze praatte nu met haar droge tuinstem. 'Ik wilde je er alleen aan herinneren dat ik je wél vooruit heb betaald.'

Hier thuis konden ze zien dat ik stond te knikken, maar de kamer hing zo vol van verbazing over de verhalen van anderen, dat niemand erg nieuwsgierig was naar het mijne. En niemand kon aan me merken dat ik, al stond ik hier dan te midden van mijn familie, ook gevangenzat in de vreemde webben die onzichtbaar waaiden en opbolden rond het huis van de Schele.

Het ware leven

Terwijl ik op school zat te werken maakte alles (de gelijktijdige baby's, mevrouw Credence, Ginevra's foto, het schilderij, het verjaardagsboek en de codes) binnen in me een rondedans.

Als je niet praat denken mensen vaak dat je niet kunt horen. In de pauze bleef ik binnen en ging verder met mijn deel van een tekening waaraan we allemaal samen aan het werken waren... een lange strook, waarop onze saamhorigheid en samenwerking tot uitdrukking moesten komen, wat ook wel min of meer gelukt was, al waren er onder ons die liever hun eigen tekening hadden meegenomen naar hun eigen hoekje om hem daar af te maken. Misschien was het wel daarom dat ik besloot om aan mijn deel door te werken nadat de andere tekenaars er de brui aan hadden gegeven en naar buiten waren gegaan om een speciaal soort Kotoku House-cricket te gaan spelen, waarbij niemand de vernedering van het verlies hoeft te ondergaan.

Terwijl ik daar zat, kwam Bruce, de therapeut, aanrijden. Hij en Coralie stonden voor de deur van de klas met zachte stemmen te praten, en keken om de paar minuten even de klas in, naar mij. Bruce vroeg Coralie of er enige verandering had plaatsgevonden. Aan zijn gelaten stem kon ik horen dat hij geen goed nieuws verwachtte.

'Nee,' hoorde ik Coralie zeggen. Ook zij klonk gelaten. 'Ze zegt geen woord. We verwachten het nu eigenlijk ook niet meer. Ze zit volledig in zichzelf opgesloten. Maar haar innerlijke stem is volkomen intact. Moet je dit schriftelijk werk eens zien!'

Coralie noemde het een innerlijke stem en ergens binnen in me wás er ook een stem die de hele tijd tegen me praatte, die me mijn eigen verhaal vertelde, die dingen voorstelde en me betoverde, die me misschien zelfs in de ban van het zwijgen had gebracht. Het was die stem die me bevolen had over de muur te klimmen en het bos rond het huis van de Schele te verkennen. Het was die stem die me bevolen had om de code te zoeken die de deur zou openen aan het eind van de gang. En nu vertelde hij me dat het niet genoeg was om alleen maar iets toverachtigs te zíjn. Ik moest iets toverachtigs dóén. Ik moest het verhaal tot een einde brengen en dan kon ik het boek pas echt dichtslaan en achter me laten. Ik moest het geheim ontraadselen.

Dus ging ik na school naar huis, liet daar mijn fiets en rugzak achter en ging op weg naar Credence Crescent op een tijdstip waarvan ik wist dat mevrouw Credence op haar werk was. De ijzeren hekken leken van opzij op me af te komen, ook al was ik het die bewoog. Ik tikte de code in, ouwe trouwe 0809, en liep, alweer, tussen de linden door de lange oprit op. Telkens wanneer ik langs een plas liep, doemde mijn spiegelbeeld, gekrompen tot handgrootte, er even in op. Zo liep er de hele weg een modderige geest met vage gezichtstrekken met me mee, met zijn zool tegen mijn zool. Met zijn ziel tegen mijn ziel! Ik kwam bij de voordeur, tikte de code 1108 in, hoorde de zachte klik, duwde de deur open en stapte de gang in, waar ik bleef staan onder de stoffige dierenkoppen. Ik herinnerde me hoe ik, als ik als klein kind naar zulke koppen keek, altijd had gedacht dat de rest van het dier verstopt zat in de muren van het huis.

Ik had geen toestemming om deuren te openen in het huis van de Schele. Hoe goed ik mevrouw Credence ook kende, hoe vaak ze me er ook aan herinnerd had dat ik de studeerkamer nog moest afmaken, ik wist dat ik iets deed wat verboden was. In sprookjes staat het meisje dat de verboden kamer in gaat een vreselijk noodlot te wachten. Desondanks liep ik naar de gesloten deur, daar aan het eind van de gang, tikte de code in die ik de vorige middag gevonden had, 2402, en luisterde of er een klik zou volgen.

Iets kreunde naar me. Of beter gezegd, het begon als een zucht maar veranderde in gekreun. Je leest wel eens over mensen die sterven van angst, en het is bijna waar. Zulke angst ís ook een soort doodgaan. Dus de wereld ging dood, of ik ging dood en toen kwam wie van ons twee het ook geweest was, onmiddellijk weer tot leven, trillend van angst, maar nog helemaal heel. En tegelijk met het gekreun, realiseerde ik me nu, had ik de klik gehoord waar ik op had gewacht. Ik duwde tegen de deur en hij ging open.

Ik wilde me omdraaien en naar huis rennen, maar ik kon het niet. Ik móést doorgaan. En het rare is dat ik het gevoel had dat ik iets deed wat gedaan moest worden. Stop hier, dacht ik, stop nu! Niemand komt het ooit te weten. Maar toen stelde ik me de dierenkoppen voor die met hun glazen ogen naar de voordeur staarden en allemaal hun adem inhielden van bewondering voor mijn dapperheid. 'Ga door! Bevrijd ons. Verbreek de betovering,' zeiden ze. 'Ga door!'

Dus ging ik door en om me heen viel het verhaal in stukken uit elkaar en veranderde. Ik had de verboden sleutel gevonden en nu stond ik op het punt Blauwbaards kamer binnen te gaan.

Mijn vermoeden dat er achter die deur een trap moest zijn was juist, want daar was hij, een trap naar boven, met een donkere loper erop. Halverwege maakte hij een haakse bocht en door het dakraam boven het trappenhuis, verduisterd door hoopjes opgewaaide rottende bladeren, viel somber licht naar binnen. Langs de muren omhoog, in gelijke tred met de traptreden, hingen schilderijen... landschappen en fruitschalen met dode fazanten ernaast en zo, allemaal in zware goudkleurige lijsten. Geen enkel van de schilderijen interesseerde me. Ik wilde alleen mijn avontuur achter de rug hebben. Toch ging ik verder, hoger en hoger de trap op, naar een overloop waar verscheidene deuren op uitkwamen. Door een van die deuren ving ik een glimp op van een slaapkamer met een onopgemaakt bed. De trap hield hier niet op. Hij werd smaller en ging verder omhoog. Ik was de toren in aan het klimmen, ik klom naar de laatste kamer in het huis van de Schele, naar de enige deur die er nog overbleef en die stevig dicht bleek te zitten met een ouderwetse grendel. Ik stond trillend voor de deur en dacht: 'Hol naar huis! Hol nu naar huis! Het echte leven, niet het ware!' Maar het was gewoon niet mogelijk. Nu ik er eenmaal aan begonnen was, moest het verhaal tot een einde gebracht worden.

Dus duwde ik de grendel weg en drukte de klink omlaag. De deur ging makkelijk open. Ik stapte de torenkamer in, een piepklein, rond kamertje, bijna een poppenhuiskamertje, waar over de diepe vensterbank van wit hout een vreemd, parelachtig licht door het raam naar binnen viel. Er stond maar één meubelstuk – een eenpersoonsbed. Een eenpersoonsbed waar iemand op zat. Ik keek de kamer in, in een paar blauwe ogen en wist onmiddellijk dat ik in de ogen keek van de echte Jorinda.

Het echte leven

Ze had een vuile nachtjapon aan en had een ketting om van zilveren schakels. Hoewel we elkaar recht aankeken, leek het net of ze dwars door me heen keek, alsof ik er niet echt was. Maar ze moet me op een of andere manier toch gezien hebben, want ze deed haar mond open en krijste naar me. Dat gekrijs had ik eerder gehoord. Ik had het voor het eerst gehoord toen ik aan de rand van het haveloze gazon had gestaan, waar het in mijn oren had gedreund en toen weer vervaagd was, voordat ik er zeker van kon zijn dat ik werkelijk iets gehoord had. Maar van hier uit, binnen in het huis van de Schele, was het zuiver en rauw, geluid zonder betekenis.

Zodra ik Rinda zag, vroeg ik me af waarom ik niet al de hele tijd had geweten dat zij het was die daarboven als een gruwelijk soort tweelingzus op me zat te wachten. Maar in het begin was zij voor mij iemand geweest die uit het huis van de Schele was weggevlucht, uit Benallan ook, en de wereld in was gegaan, net als Ginevra. En nadat ik het schilderij had gezien, had het erop geleken dat er geen echt meisje was – alleen een sprookjesnaam en een gezicht, gestolen van een krantenfoto. Degeen die ik half en half en op een griezelverhaalachtige manier verwacht had daarboven aan te treffen, was Conrad Hilary Credence, in leven gehouden door gedwongen voeding uit een ziekenhuiskopje, maar verschrompeld als een oude jas, met zijn medailles en ereprijzen om hem heen uitgestald.

Er was niets moois aan Rinda. Ze was geen nachtegaal geworden zoals Jorinda in het verhaal en ze was ook absoluut geen Raponsje. Geen reddende prins had ooit langs haar dunne, bruine, warrige haar naar boven kunnen klimmen. Ze had de ronde blauwe ogen van mevrouw Credence, zonder dat enigszins loense. En hoewel ze volgens het verjaardagsboek ongeveer achttien was, zag ze er niet veel ouder uit dan ik. We staarden elkaar aan, maar ik voelde dat er in mijn ogen ontzetting te lezen was, terwijl haar blik over me heen gleed alsof ik er niet was.

Het licht was parelwit omdat het zich een weg moest banen door de witte verf op de binnenkant van het raam. Rinda, zittend op de rand van haar bed, mocht zelfs niet door vogels bespioneerd worden. In het raamkozijn zaten, van boven naar beneden, tralies, eveneens wit geverfd. Als ze naar buiten had kunnen kijken, tussen de tralies door en door het glas, had ze de boomtoppen kunnen zien die met hun bewegende takken in de lucht schreven, maar Rinda kon niet naar buiten kijken. Alles om haar heen was wit – een volslagen leegte. Er hingen geen foto's of schilderijen aan de muur; er waren geen boekenplanken. Er was niets om naar te kijken, helemaal niets.

In de kamer hing de stank die je ook tegemoet slaat in verwaarloosde openbare toiletten op het strand. Rinda bewoog en die beweging ging gepaard met gerinkel, want wat ik voor een zilveren halssnoer had gehouden, was een ketting waar ze mee vastzat. Ze zat aan dat bed vastgeketend. Misschien kon ze zich erop uitstrekken, maar ze kon er niet van weglopen zonder het achter zich aan te sleuren. Ik weet niet eens zeker of ze wel fatsoenlijk rechtop kon staan. Hoe dan ook, ik wist meteen dat ze niet vanmorgen was vastgeketend, of de vorige dag, of zelfs de vorige week. Door de manier waarop ze voorovergebogen zat als een oude vrouw, wist ik dat Rinda al zolang op deze manier vastzat dat ze door haar ketens vervormd was.

'Jorinda!' zei ik hardop. Ik noemde haar bij haar volle naam, maar ze keek niet eens naar me op.

Er klonk een geluid achter me, een snel, licht, rennend geluid dat steeds luider werd. Ik draaide me net met een ruk om toen mevrouw Credence, die de laatste paar treden met sprongen nam, opeens opdoemde en de deuropening vulde.

'Hier ben je!' riep ze uit. We staarden elkaar aan. Ik weet niet of ik net zo angstig keek als zij. Dat zal vast wel. Toen deed ze snel een stap omlaag en sloeg de deur dicht. Ik hoorde de grendel vastschieten en daar zat ik dan, opgesloten! Het was allemaal in een paar tellen gebeurd. Ik zat opgesloten achter het witte oog van de blinde toren, opgesloten met Rinda... twee vogels in een kooi.

Echt/Waar

Ik zat niet alleen opgesloten in de toren. Ik zat opgesloten in wat ik ooit mijn ware leven had gevonden. Eerst had ik door de boomtoppen gevlogen, en toen was ik naar beneden gedoken, de tuin in. Ik had me via de tuin een weg gebaand naar het huis, en door het huis naar de trap. Toen had ik de trap beklommen naar de kamer boven in de toren, en was zo van het ene verhaal in het andere gegleden, van waar naar echt en weer terug, en nu zat ik opgesloten.

'Wat moet ik doen?' zei ik hardop, maar ik wist al dat Rinda niets te zeggen had – niet tegen mij, noch tegen iemand anders. Zij zat opgesloten in een lege witte kamer, zowel van binnen als van buiten.

Er klonk een klik en iets wat leek op gehijg en opeens hoorde ik de stem van mevrouw Credence, pal naast mijn oor.

'In dat deel van het huis is de toegang je ten strengste verboden. Het is privé. Dat móét je geweten hebben. Wat moet ik nu in hemelsnaam met je beginnen?' En voor het eerst begreep ik iets wat ik al veel eerder had moeten begrijpen. Natuurlijk! Er was een intercomsysteem in het huis van de Schele. Het slorpgeluid en het gekreun dat ik gehoord had, waren geluiden van Rinda, vastgeketend in haar torenkamer.

Er volgde een afwachtend zwijgen.

'Ik weet dat je zou kunnen praten als je zou willen,' zei de lichaamloze stem tenslotte. 'Wat moet ik nu doen? Als ik je laat gaan, zul je het vertéllen. En dan komen er mensen mijn huis in die allerlei vragen zullen stellen over Rinda. Nou, toevallig ben ik van mening dat ze recht heeft op haar privacy.'

Weer was het stil.

'Ik moet haar beschérmen,' ging mevrouw Credence verder. 'Ze heeft alleen mij maar.' Ik wist dat ze erop wachtte dat ik mijn stilzwijgen zou verbreken om te pleiten of om iets te beloven of wat dan ook, maar ik hield mijn mond. Tenslotte klonk er een klik en de sprekende lucht leek zich te sluiten.

Ik was in sommige opzichten zo slim geweest, maar in andere zo dom. Ik bedoel, ik had de codes in het verjaardagsboek opgemerkt, maar ik had niet begrepen wat de kleine roostertjes bij de voordeur en bij de deur naar de trap waren, al was dat zo duidelijk geweest. De ene kamer kon met de andere kamer spreken. En nu zag ik ook dat het witte muurvlak bij de torendeur onderbroken werd, niet alleen door de deur, maar ook door een wit plastic doosje met een roostertje erop en een rij toetsen eronder.

Hoewel ik nog maar een paar minuten in de toren was, had ik het gevoel dat ik er al een eeuwigheid was. En onmiddellijk voelde ik het enorme gewicht van een hele massa toekomstige tijd, het soort tijd waarvan je weet dat je er nog doorheen moet, of je wil of niet, op me drukken. Mijn rug gleed langs de muur omlaag; ik trok mijn knieën op. Ik zat op de grond en staarde naar Rinda.

Thuis was er dan wel van alles aan de hand, maar ik wist dat ze me snel zouden missen, net zoals ze Sammy gisteravond hadden gemist. Mike zou de eerste zijn die zei: 'Waar is Hero?' Dan, zodra het donker werd, zouden ze me allemaal gaan zoeken. Iemand zou door het bos komen, naar het huis turen, onder de bomen zoeken. En op den duur zouden ze zelfs het huis doorzoeken, vooral als iemand in de gaten kreeg hoe vreemd mevrouw Credence eigenlijk wel was. Ik moest alleen maar geduldig afwachten, dan zou ik vanzelf gevonden en bevrijd worden. Dat wist ik allemaal wel, maar toch geloofde ik dat ik de rest van mijn leven opgesloten zou blijven in het huis van de Schele.

Er klonk een klik. Mevrouw Credence was weer op de lijn, maar ditmaal klonk haar stem ver weg. Hij kwam en ging, omdat ze niet rechtstreeks in het roostertje sprak, maar door haar eetkamer heen en weer liep te babbelen – een aanhoudend babbelen, een oud verhaal dat ze voor de zoveelste keer vertelde. En al was het kennelijk haar bedoeling geweest om tegen mij te praten, want ze had tenslotte de intercom weer aangezet, in werkelijkheid praatte ze tegen zichzelf, gleed ze van komma naar komma, met alleen een punt als ze echt heel diep adem moest halen.

'Het was gewoon onmogelijk, nou ja, dat zie je zelf wel, jeetje, mijn arme vader was zo van streek toen hij wist dat ik haar verwachtte, en het rare was dat hij mij de schuld gaf, alsof het míjn schuld was, alsof ik Clem op het slechte pad had gebracht, zijn vriend, nou ja, ondertussen zijn enige vriend, de enige, afgezien van mij, die zijn ideeën kon volgen. Maar het was net zo goed Clem zijn schuld als de mijne, al was er eigenlijk geen sprake van schuld, want we hielden zoveel van elkaar, tenminste hij zéí dat hij van mij hield, en ik hield ook van hem, want, al kon ik het nog zo goed vinden met mijn vader, ik miste mijn moeder veel meer dan ik ooit gedacht had. Toen ze er eenmaal niet meer was, begon het hele huis te verloederen, zoveel stof, weet je, en vaat die zich opstapelde, en onkruid in de tuin en mensen die vrienden waren geweest en die niet meer kwamen. Maar in de tijd dat ik in verwachting was van Rinda was hij ziek, mijn vader, bedoel ik, en had hij iemand nodig om voor hem te zorgen, en om de vogels voor hem te voeren, en uiteindelijk bleek zijn ziekte te helpen, of, nou ja, wat ik bedoel is dat hij er volledig door in beslag genomen werd en aan niets anders meer kon denken, en waarschijnlijk hadden de medicijnen er ook nog invloed op. Natuurlijk was de dokter er. Die kwam en ging, maar hij leek niets te merken, hij zei tenminste nooit iets. Nou had ik natuurlijk altijd al wijde kleren gedragen, en ik was niet erg dik, niet zoals sommige vrouwen. En toen ging mijn vader dood. En drie maanden later kreeg ik haar hier in huis, helemaal in mijn eentje. Dat heeft niet veel te betekenen, tenslotte is een geboorte iets volkomen natuurlijks, nietwaar, al zag ik bijna meteen – ik was er zeker van – dat er iets mis met haar was, en al had ik haar nooit gewild, toch nam ik de verantwoordelijkheid op me. Ik wist dat ik haar de rest van haar leven zou moeten beschermen. En ik heb haar beschermd. Ik heb wreed moeten zijn om goed te zijn.'

Niets van dit alles was zo duidelijk als ik het hier doe voorkomen. De stem van mevrouw Credence stroomde de torenkamer binnen als een vloedgolf, en trok zich dan weer terug en vervaagde tot gemompel. Af en toe leek de intercom de woorden op te slokken. De betekenis loste op in een luidruchtig ademgeruis. En dat niet alleen, ze liep zichzelf voortdurend aan andere dingen te herinneren... hoe intelligent haar vader was geweest, hoe de mensen hem bewonderd hadden, de reputatie die hij had opgebouwd en die niet kon worden... die het niet verdiende om... door zijn dochter vernietigd te worden en al helemaal niet door een gebrekkig kleinkind. Ik was er opeens zeker van dat ze dit allemaal al eerder had gezegd – dat ze het steeds opnieuw had gezegd, avond na avond, terwijl ze door de kamers van het huis van de Schele liep en zichzelf haar eigen verhaal vertelde. Als ze eenmaal thuis was van haar postkantoor, de code had ingetoetst en de deur geopend had, keek ze in de ogen van de opgezette koppen aan de muur en werde ze overspoeld en opgeslokt door haar ware leven. Aan de andere kant van het hek, in Benallan, hield ze een schijn op die nooit door iemand in twijfel was getrokken, maar in haar tuin veranderde ze zich in de geest van haar vader door zijn cape te dragen en dezelfde soort sigaretten te roken die hij had gerookt. Als ze over de verwilderde paden liep, keek een deel van haar naar die zwarte, rondzwalkende gestalte die zij geworden was, en dacht: 'Daar gaat hij! Daar gaat hij! Hij houdt nog steeds de wacht.' De droge tuinstem was waarschijnlijk ook een imitatie van de zijne. En ik begreep ook nog iets anders (niet dat ik op dat moment echt wist dat ik het begreep). Ze mocht de wereld dan wel op een afstand houden, maar ik begreep dat ze toch verlangd had (al vele jaren lang verlangd had) naar iemand die naar haar zou luisteren. Nu, tenslotte, had ze iemand. Ze had mij.

Rinda-Jorinda maakte een geluid, niet in een poging om mij iets te vertellen, maar gewoon per ongeluk. En toen zaten we daar, allebei zwijgend, maar er bestond een enorm verschil in ons zwijgen. Ik had het mijne gekozen. Rinda had nooit kunnen kiezen.

Het lijkt rustig, twee zwijgende mensen in een witte cirkel, maar het was niet rustig. Ik wist dat ze me vroeg of laat zouden vinden, maar wat zou er dan van me over zijn? Want mevrouw Credence was vreemd geworden door verdriet en eenzaamheid en, misschien, doordat ze niet zozeer een echte persoon was, als wel een verstrooiing aan de rand van het leven van haar vader. Diep van binnen had ik altijd al geweten dat mevrouw Credence gek was. Maar ja, als je het daarover had, hoe zat het dan met mij? Wie houdt er nou op met praten? Echte mensen praten allemaal. Misschien was het zwijgen dat mij in ons pratende, ruziënde gezin tot een bijzonder iemand had gemaakt, een bewijs dat ik eigenlijk ook een beetje gek was.

Het echte leven

Toen hoorde ik voetstappen op de trap. Ik sprong overeind en bleef in elkaar gedoken staan, met mijn gezicht naar de deur. Hij ging open. De smalle gestalte van mevrouw Credence vulde de deuropening. Ik aarzelde niet. Ik werd gewelddadig, besprong haar met ontblote tanden, maaiende vuisten en schoppende voeten. Ze had er niet op gerekend – ze kukelde achterover. Maar ik had er weer niet op gerekend dat ze zo makkelijk zou vallen, en we tuimelden samen de trap af – bonk, bonk, bonk – tot op de eerste overloop.

Ik was in het voordeel; ik landde boven op haar en bijna had ik kunnen ontsnappen, als ik niet, precies toen we onder aankwamen, keihard met mijn hoofd tegen de stijl op de hoek van de trap was geknald. Ik weet nog dat het een vreemd, hol geluid maakte en hoe alles onmiddellijk werd uitgewist door een felle lichtflits. Ik moest vreselijk mijn best doen om bij mijn positieven te blijven. Mijn armen en benen zwaaiden rond maar voelden aan alsof ze eigenlijk niet bij me hoorden. Er zat geen kracht in. Mevrouw Credence rolde onder me uit en greep me bij mijn armen.

'Hier krijg je nog spijt van! Hier krijg je nog spijt van!' schreeuwde ze me toe, met haar gezicht maar een paar centimeter van het mijne vandaan. Maar al hing dat gezicht levensgroot boven me, toch was het ook heel ver weg. Ik vocht terug, maar het is moeilijk om met iemand in een andere dimensie te vechten. Het oor aan die kant van mijn hoofd waarmee ik tegen de stijl was geknald, stond in brand. Ik dacht zelfs dat ik rook langs kon zien drijven.

Mevrouw Credence was sterk als het nodig was, en op dat moment was ik zwak. We vochten, zij duwde en ik werd geduwd, stap voor stap, de trap op, terwijl mevrouw Credence in mijn gezicht schreeuwde en mijn eigen mond wijdopen stond, maar zonder geluid te maken.

Toen we bij de deur kwamen, liet ik haar los en greep me snel aan de deurposten vast. Een paar tellen lang stonden we voor- en achteruit te zwaaien. Maar toen gaf ze me een schop in mijn maag en ik vloog achteruit en viel op de grond, waar ik voorovergebogen bleef zitten als om mijn pijn te koesteren. De deur knalde dicht en ik hoorde de grendel weer dichtschieten.

Door de torenkamer galmde een gierend geluid. Dat was ik, in een poging om mijn longen met lucht te vullen. Oneindig lang, naar mijn idee, lag ik te kronkelen van de pijn. Toen, nog steeds wat moeizaam ademend, draaide ik me om en keek naar Rinda.

Ze zag eruit alsof ze een toeval had, haar mond stond wijdopen, haar vingers, krom als klauwen, groeven in haar eigen wangen. Haar ogen waren droog, maar haar neus liep, alsof ze vol tranen zat die zich toch ergens een weg naar buiten moesten banen. Maar terwijl ik daar hijgend naar haar lag te kijken, hield ze op met zichzelf te krabben en begon ze de waterige snot in haar huid en haar te smeren.

Ze deed dit in absolute stilte. Dat was het angstaanjagende ervan... haar woede en angst maakten totaal geen geluid. Ik lag op de grond toe te kijken hoe ze zichzelf uit het bestaan weg wilde krassen, en ik wist dat ze schreeuwde op de enige manier die haar was toegestaan. Het kwam ineens bij me op dat het geluid van een huilende baby, ook al had het huis van Credence geen directe buren, best wel eens gehoord had kunnen worden – in de speeltuin, bijvoorbeeld. Op de een of andere manier had mevrouw Credence Rinda geleerd om stil te zijn. Ik wist dat ze wel kón schreeuwen, maar dat ze dat nooit deed als er iemand bij haar in de kamer was. Dus je kón haar iets leren. Ze kón dingen leren.

Terwijl ik toekeek, stierf de woede of de angst of wat het

ook was, uit haar weg en ging ze weer op de voor haar kennelijk normale manier voor zich uit zitten staren, haar wangen vuurrood gestreept door haar eigen krabbende vingers.

'Ik vertrouwde jou,' klonk opeens de stem van mevrouw Credence via de intercom, als een geest door een sleutelgat. 'Waarom heb je me dit aangedaan? Jij was voor mij als mijn échte dochter. Ik vond je áárdig.'

Ik had niets te zeggen, maar ze hield aan.

'Vertel op!' zei ze gebiedend. 'Ik weet dat je kunt praten, dus schiet op... zeg het maar, want vroeg of laat zul je toch met me móéten praten. We zullen nog een hele tijd samen doorbrengen.'

Maar ik wilde haar geen antwoord geven.

Toen begon ze weer rond te lopen en tegen zichzelf te praten, zodat haar stem aanzwol en vervaagde, aanzwol en vervaagde.

'Snap je het dan niet, ik moest Rinda beschérmen... goed voor haar zorgen... omdat ze zelf niet kan kiezen.' De stem mompelde verder, een innerlijke stem die naar buiten kwam. 'Misschien was het trots, maar waarom zou je moeten lijden omdat je van jezelf houdt, van je eigen talenten houdt? Ik bedoel, laten we eerlijk zijn, geen valse bescheidenheid, ik was een intelligent meisje, of, nou ja, ik bén intelligent, ik hoor bij de bovenste twee-en-een-half procent, geen twijfel mogelijk, want ik ben getest en ik mocht lid worden van MENSA. Ik had wel kunnen vliegen. Mijn vader... nou ja, natuurlijk was hij trots op me, maar hij wist dat de wereld hard is voor intelligente vrouwen en ik denk dat hij me misschien heeft willen beschermen toen hij me tegenhield, al is het misschien ook deels uit eigenbelang geweest, omdat er niemand anders was, weet je... niemand die echt goed gezelschap voor hem kon zijn, afgezien dan van Clem, een tijdlang. En dat waren heerlijke dagen, maar toen ging Clem ervandoor naar Auckland met zijn vrouw en kinderen, zijn vrouw was niet veel soeps (een heel middelmátige geest), en ik heb hem nooit meer teruggezien, al krijg ik wel nog elk jaar een kaart met Kerstmis, uit Californië de laatste keer, dus je ziet dat hij het helemaal gemaakt heeft.' Haar mompelende stem stierf weg; ik neem aan dat ze de keuken in was gegaan.

Ik weet niet hoeveel tijd er verstreek, maar ik weet wel dát hij verstreek. Aan de andere kant van het witte raam begon het bos van Credence zich met schemer te vullen. Ik stelde me voor hoe de duisternis zich samenpakte onder de bomen, hoe het blauw vervaagde tot grijs en het grijs zich verdiepte tot zwart. Er zouden sterren verschijnen... Orion die door de hoogte reed, Sirius de Hondsster, en Canopus, en allemaal zouden ze neerkijken op de toren... en de straatlantaarns zouden neerschijnen op Credence Crescent en Edwin Street.

'Alles wat ik voor Rinda heb gedaan was voor haar eigen bestwil,' zei mevrouw Credence, opeens weer terug op de lijn en zich nog steeds verontschuldigend. 'Mijn vader had het altijd over de *survival of the fittest*, wat allemaal goed en wel was voor hem, want hij was er zeker van dat hij een van de sterksten was. En, sterk of niet, er werd altijd voor hem gezórgd, want (dat moet ik mijn moeder nageven) ze heeft wel degelijk goed voor hem gezorgd, en ik ook. Niemand kan zeggen dat ik niet mijn steentje heb bijgedragen toen het mijn beurt was.'

Opeens rinkelde er een telefoon. Ik hoorde hem heel duidelijk, al rinkelde hij natuurlijk beneden.

'Ja,' zei mevrouw Credence. Toen hoorde ik haar zeggen: 'O jeetje, wat vervelend voor u. Nee, ik heb haar niet gezien. Ik had haar eigenlijk wel verwacht vanavond, maar... ik heb niets gezien of gehoord. Nou ja, iets horen, dat lag ook niet erg voor de hand, hè?' Ze zweeg. Ik denk dat ze luisterde. 'Ik hoop maar dat alles in orde is met haar,' zei ze tenslotte, 'al is het tegenwoordig op straat niet echt veilig meer, niet zoals vroeger in ieder geval. Ik wil u niet ongerust maken hoor, maar je hoort zulke griezelverhalen. Maar ach, Jorinda is een verstandig meisje. Hero, bedoel ik. Jorinda is mijn troetelnaampje voor haar. Ze zou nooit met een of andere vreemde meegaan. Weet u wat! Ik zal eens naar buiten lopen met een zaklantaarn en roepen, je weet maar nooit... Nee! Nee, helemaal geen moeite. Laat het me meteen weten als er nieuws is.'

Ik bedacht ineens dat ik door de intercom kon schreeuwen. Degene die daar opbelde en naar mij informeerde zou me misschien kunnen horen als ik maar hard genoeg 'Help! Help!' gilde. Maar toen ik naar het roostertje toeliep, hoorde ik haar opleggen.

'Zie je nou?' zei ze uit de kamer beneden. 'Je maakt zoveel mensen zo ongerust. En ik kan niet eens naar boven komen om Rinda te eten te geven, want dan val je me misschien weer aan. Ik word hier zo verdrietig van.' Toen klonk er een klik en was ze verdwenen.

Het heeft weinig zin om iets te vertellen over de uren die volgden. Rillend en met overal pijn van het vechten, lag ik op de grond. Ik durfde niet bij Rinda in bed te kruipen. En ik wílde het ook niet. Het lijkt afschuwelijk, maar ik moest er niet aan denken dat ik haar op welke manier dan ook zou aanraken. Daar lagen we, Rinda en ik, we deelden dezelfde ruimte, maar ieder op haar eigen plaats en in haar eigen stilte.

Uiteindelijk viel ik zowaar in slaap. Ik was uitgeput, maar dat was het niet alleen. Op de een of andere manier deinsde ik terug voor de wereld, voor de harde grond en de kou (want ik had het koud, al was het dan een zomeravond). En na verloop van tijd ging mijn eigen stilte, binnen de stilte van de kamer, over in zo'n belabberd soort slaap waar je steeds weer uit wakker wordt. Ik droomde over stemmen die mijn naam riepen, en rinkelende kettingen als Rinda zich in haar bed bewoog, maar ik sliép wel.

Opeens werd ik wakker van een vreselijk gekrijs en het geluid van dingen die kapotgegooid werden. Ik ging rechtop zitten, trok mijn knieën op en sloeg mijn armen eromheen. Ik schrok er zelf van toen ik merkte dat ik in het donker zat te huilen. Weer klonk er een gil. Ik dacht, ik hóópte, dat de politie of iemand anders misschien was ingebroken. Ieder moment kon nu de deur openbarsten en ik zou gered worden. Ik rende naar de intercom en gilde huilend: 'Help! Help!', zo gespannen dat ik dacht dat ik in tweeën zou scheuren, heen en weer geslingerd tussen hoop en vrees. Het geschreeuw bleef maar doorgaan, en niet alleen het geschreeuw maar ook het lawaai. Glas werd aan scherven gegooid. Iets werd versplinterd. En het ging maar door! Het ging maar door! Als je geen keus hebt, kun je aan zoiets gewend raken. Toen het eindelijk ophield, kon het me al bijna niet meer schelen.

En het hield op, uiteindelijk. Alles werd weer stil, afgezien van de wind, die zich langs het witte raam wreef en spon als de geest van een kat.

Echt/Waar

Toen ik weer wakker werd, hoorde ik merels zingen. Het klonk als stemmen die probeerden door te dringen vanuit een andere wereld die zich aan de rand van deze wereld bevond. Ik draaide mijn hoofd naar het witte raam en wist meteen dat daarbuiten de boomtoppen overspoeld waren door licht. De dag baande zich een weg door het ondoorzichtige wit en ik baadde in dat parelachtig schijnsel. En ondanks mijn rusteloze nacht op de grond, ontdekte ik dat ik me ineens waakzaam voelde, tot van alles in staat, lévendiger dan ik me gevoeld had sinds de eerste schrik van het opgesloten zitten bij Rinda. Misschien was ik versuft geraakt door dat gevecht op de trap. Ik had nog steeds het gevoel dat ik in een verhaal zat, maar nu was het weer míjn verhaal. Ik hoefde hier niet te blijven zitten wachten tot ik gered zou worden. Ik kon de afloop veranderen... het raam breken... op het dak klimmen. Misschien zou ik hier eerder op gekomen zijn als er iets in de kamer was geweest waarmee je glas kon breken. Maar nu herinnerde ik me een aflevering van *Pharazyn Towers* waarin Delpha, de jonge verslaggeefster van een muziektijdschrift, ontvoerd was en opgesloten zat op de bovenste verdieping van een verlaten pakhuis. Maar zij had simpelweg haar modieuze jasje om haar hand gewikkeld en met het grootste gemak de ramen ingeslagen.

Ik draaide me op mijn buik en keek naar Rinda die niet meer was dan een langwerpige vorm in haar bed. En toen zag ik een po onder haar bed. Ik realiseerde me verrast dat ik de stank in de kamer, die zo afgrijselijk had geleken toen ik er voor het eerst binnenkwam, niet meer rook. Bij het zien van die po moest ik onmiddellijk vreselijk plassen. Ik stond op en begon schokkend vanuit mijn knieën door de kamer te lopen, deels om mezelf af te leiden, ook al wist ik dat ik vroeg of laat toch zou moeten gaan, en deels om mijn nieuwe, levendige gedachten op gang te houden. In het begin was het niet meer dan een mank loopje omdat ik beurs was en stijf, maar ik werd toch losser en klemde mijn handen onder mijn oksels om het wat warmer te krijgen. En terwijl ik rondstrompelde en mijn bloed weer onbelemmerd begon te stromen, bedacht ik wat voor zacht ei ik was geweest om maar gewoon te gaan liggen en toe te geven aan de angst. Ik zocht uitvluchten voor mijzelf. Misschien was het de schok geweest. Maar nu... nu moest er iets zijn wat een ware heldin zou doen... kón doen. Om te beginnen liep ik al schokkend naar het raam en trok aan de witte tralies om ze uit te testen. De eerste de beste waar ik aan trok, liet gewoon los. Ik had gedacht dat ze van ijzer waren, want tralies horen van ijzer te zijn. Maar deze tralies niet! Ik had een eenvoudige houten spijl in mijn hand. De tralies zaten niet verankerd – alleen maar vastgespijkerd en niet eens al te stevig. Ik had zitten kijken naar het idéé van een kooi, in plaats van naar een echte. En nu ik wat beter keek, zag ik dat het bleke oppervlak dat op het glas geschilderd was, helemaal vol barstjes zat. Door de witte verf liepen overal dunne lijntjes. Ik krabde eraan met mijn duimnagel om te zien wat er zou gebeuren.

De verf kwam makkelijk los van het glas en schilferde in een kleine sneeuwstorn naar beneden. Binnen een minuut had ik een kijkgaatje gemaakt en kon ik, als ik mijn oog tegen het glas drukte, de tuin in kijken. Je weet hoe dat is: als je je oog dicht tegen een gaatje aandrukt, zelfs al is het piepklein, kun je verrassend veel zien. Ik zag een klein rondje ochtend. Ik zag de boomtoppen. Een merel zat, in het topje van een linde, luidkeels te zingen en zijn tweede nest van het seizoen te bewaken. En toen, terwijl ik naar buiten zat te turen, zwiepte een eindje verderop opeens een tak omlaag, dwars door mijn gezichtsveld heen en ik dacht dat ik nu vast mijn eigen geest te zien zou krijgen op een van die bebladerde wegen die ik zo goed kende. Maar de voeten die van opzij mijn kijkgaatje kwamen binnenschuiven waren gehuld in kolossale hoge gympen.

Die nacht had ik gedroomd over mijn familie, dat ze me allemaal liepen te zoeken en dat ze steeds weer mijn naam riepen ook al kon ik, in mijn droom, niet antwoorden. Sammy was er niet bij geweest en toch was dat nu, daar buiten, beslist Sammy. Ik begreep ineens dat Sammy, die niets te doen had en geen eigen plekje had, zich vermaakt had met mij te achtervolgen op mijn uitstapjes naar het huis van de Schele, dat hij me over de muur had zien klimmen en had zien opgaan in de bomen.

Ik aarzelde niet. Bijna alsof ik al had gedroomd wat ik moest doen, rende ik naar het bed, graaide eronder naar de po (ik hield mijn adem in toen de stank me tegemoet sloeg), kieperde de inhoud om over de vloer, rende terug naar het raam en beukte ertegen met de po. Ik dacht dat het glas net zo makkelijk zou breken als in *Pharazyn Towers*, maar de po stuiterde gewoon terug en raakte me recht op mijn neus. Het deed flink pijn, maar ik zwaaide nog eens, woedend nu, en kneep mijn ogen dicht terwijl ik toesloeg.

Het glas verbrijzelde. Kleine splinters vlogen op me af als doorzichtige muggen, beten in mijn voorhoofd en wangen en binnen een tel hoorde ik nog meer glas aan scherven gaan op de stenen beneden... stenen waar ik vorige week nog maar het onkruid tussenuit had gehaald. Frisse lucht brak over mij heen naar binnen. De po sprong uit mijn hand en een tel later hoorde ik hem beneden neerkomen.

Ik deed mijn ogen open. Daar, aan de andere kant van de gekartelde ster en van me gescheiden door een brede kloof morgenlicht, zat Sammy me vanaf de dichtstbijzijnde takken aan te staren. Ik wilde maar dat ik een lange vlecht had, zo dik als een touw, die ik naar hem toe kon gooien. Hij had hem aan een tak kunnen vastbinden en er overheen het huis van de Schele in kunnen rennen, als een koorddanser over een touw dat gemaakt was van een levend deel van mijzelf.

Ik aarzelde niet. Ik begon te praten alsof ik nooit en te nimmer gezwegen had.

'Haal hulp!' riep ik. 'Ze heeft me hier opgesloten.'

'Kolere!' riep Sammy terug. 'Hé, ik heb tegen ze gezegd dat jij in de bomen rondliep. Ik heb het ze gezégd!'

'Haal Mike!' gilde ik. 'Haal Mike! Haal Mike!'

Ik zei het minstens drie keer, maar het leek het enige wat ik kon zeggen.

'Ze hebben overal gezocht. De politie ook!' zei hij, terwijl hij me strak opnam. 'Hé, wat heeft ze met je gedáán?'

Ik keek omlaag en zag bloed op mijn handen. Op hetzelfde ogenblik voelde ik iets als een rups over mijn bovenlip kruipen. Mijn neus bloedde.

'Haal Mike!' riep ik weer. 'En breng iets mee om kettingen mee door te knippen.'

'Kettingen?' zei Sammy ongelovig. 'Kolere!'

Maar alles wat hij zei klonk mij als muziek in de oren.

'Er is hier nog iemand en die zit aan het bed vastgeketend,' ging ik verder, toen ik voetstappen hoorde op de trap. 'Ze komt eraan,' schreeuwde ik. 'Zeg het tegen Mike! Schiet op! Ga! Nu!'

'Nog iemand?' riep Sammy, terwijl hij eindelijk terug begon te klimmen langs de tak.

De deur ging achter me open. Ik draaide me om, maakte me zo breed mogelijk voor het gebroken raam, in een poging, denk ik, om de gebroken ster te verbergen en Sammy te beschermen, Sammy de coole bosbink. Mevrouw Credence stond daar, gehuld in de zwarte cape en met haar zwarte hoed schuin op het hoofd. Ze kwam naar me toe, heel rustig, alsof we allebei zeeën van tijd hadden. Ik begon te schreeuwen toen ze dichterbij kwam, klaar om te sterven door me via het gekartelde glas naar buiten te werken.

'Ga eens opzij, Jorinda,' zei mevrouw Credence en nu sprak ze met haar eerste stem, die droge, licht geamuseerde, ritselende tuinstem die, naar mijn idee, wellicht een variant was van haar vaders stem. Achter haar ging Rinda rechtop zitten in bed. Ik hoorde het gerinkel van haar kettingen. Ik bleef staan waar ik stond, maar mevrouw Credence keek over mijn schouder door de gevaarlijke randen in het midden van het raam en ik stelde me voor hoe ze een glimp opving van Sammy, die op weg was naar de muur.

'Zo zo,' zei ze. 'Een kat tussen mijn vogeltjes!'

'Maak dat je wegkomt!' gilde ik zonder me om te draaien.

Mevrouw Credence lachte.

'Hij is weg! Ervandoor,' zei ze. 'Vriendje van je?'

Ik wierp een blik over mijn schouder en zag alleen nog maar bewegende bladeren. Toen ik mijn blik weer op mevrouw Credence richtte, stond ze me met één oog aan te kijken, maar het andere leek langs me heen te turen naar de bladeren en de lucht daarachter. Ze krabde bedachtzaam aan haar wang, waarschijnlijk zonder te weten dat Rinda, achter haar, over háár wangen zat te schrapen en haar mond open deed in zo'n afschuwelijke, geluidloze schreeuw. Terwijl ik toekeek, zette Rinda haar tanden in haar onderarm en knaagde aan haar eigen vlees als een hond aan een bot.

'Nou, dat was het dan,' zei mevrouw Credence tenslotte, nog steeds met de stem van haar vader. Ze leek een totaal ander iemand dan de vrouw die de vorige nacht had lopen raaskallen en schreeuwen. 'Eigenlijk is het een hele opluchting. Een opluchting. Ik werd vanmorgen wakker en ik wist... ik wist dat ik te ver was gegaan. Een fout had begaan! Weet je, grote intelligentie ligt soms heel dicht bij... iets anders.' En ze keek me aan met een vreemde glimlach om haar mond... een glimlach waarmee ze zichzelf op een of andere manier haar eigen gekte en gewelddadigheid vergaf, omdat haar specifieke soort gekte en gewelddadigheid bewees dat ze te slim was voor de gewone wereld.

'Ik geloof niet dat intelligentie dicht bij dat andere ligt,' zei ik. 'Ik geloof dat het precies omgekeerd is.'

Het waren de eerste woorden die ik ooit tegen haar gezegd had.

'Je hebt opeens weer je stem gevonden, hè?' antwoordde ze scherp. 'Mensen zoals ik, die horen bij de bovenste twee-en-een-half procent, kunnen niet volgens dezelfde regels als gewone mensen beoordeeld worden.' Toen ging ze in de diepe vensterbank zitten, trok haar knieën op, wikkelde de cape helemaal om zich heen, zodat ze eruitzag als een zwarte driehoek met een hoofd erop, en staarde door het gat in het raam naar het bos.

'Het was echt een prachtige tuin toen ik klein was,' zei ze op de luchtige toon van iemand die herinneringen ophaalt. 'We hadden vaak tuinfeesten en dan ging ik rond met de taart. Ik dacht dat het altijd zo zou blijven... weet je... het licht vol schaduwvlekken, het gepraat en gelach, en mijn vader die er zo artistiek uitzag in zijn cape (niemand anders droeg ooit een cape) en dat alles zo op rolletjes liep. Maar toen, nadat mijn moeder overleden was, kwam er niemand meer.'

Ik overwoog of ik een spurt naar de deur zou wagen, die op een kier stond, want deze trage, mijmerende stem was net zo beangstigend als die boze, raaskallende. Het klonk allemaal zo redelijk, maar ik wist – ik wíst – dat de redelijkheid van mevrouw Credence, haar orde, gebouwd was op wankelende ruïnes. Eén verkeerde beweging van mijn kant en de hele boel zou wel eens kunnen instorten en dan zou dat andere, dat wanhopige, onbeheerste wezen door de scheuren op me af komen stormen. Dus ging ik ook maar zitten, langzaam en voorzichtig, aan het andere uiteinde van de diepe vensterbank, en dwong mezelf om geduldig te luisteren. Ondertussen kon ik, vanuit deze hoek, door de gekartelde ster, net voorbij het rechteroor van mevrouw Credence, een heel stuk Benallan zien, met in het midden ons huis, gevangen in zijn kooi van buizen en loopplanken. Daar, in het huis van de Schele, hield ik mijn blik strak gericht op thuis. 'Ik zal snel weer terug zijn,' zwoer ik mezelf met de innerlijke stem van mijn voorbije zwijgzaamheid. 'Snel! Snel! Snel!'

'Het was erg dwaas van me,' zei mevrouw Credence met een stem alsof ze het zelf niet begreep. 'Maar ik ben nooit echt práktisch geweest.' Opnieuw konk het verwaand. De mensen die zich in de bovenste twee-en-een-half procent bevonden, hadden het niet nodig om praktisch te zijn. 'Ik neem aan dat ik om hulp had kunnen vragen, maar weet je...' ze keek in de lucht en toen naar de grond met een blik die zich op een of andere manier door het uitgesleten hout leek te boren, '... op mijn manier ben ik als een huis waar het spookt. Ik ben zowel het huis als de geest die erin rondspookt. En wat betreft...' (hierbij maakte ze een hoofdbeweging naar Rinda, die nu in bijna exact dezelfde houding zat als toen ik haar voor het eerst zag), 'ik heb je verteld dat ik van haar hield (dat heb ik je toch verteld? Ik hoor het mezelf vaak zeggen), maar ik denk dat ik haar eigenlijk haatte. Dat is de waarheid. En toch... ook weer niet echt de waarheid...' Haar stem stierf weg. Ze klonk onzeker, maar niet meelijwekkend. Ze zat erover na te denken en kon de goede woorden niet vinden; ze zat te *mijmeren*.

De merels waren opgehouden met zingen. De zon scheen helder op de boomtoppen, maar de stammen waren in diepe schaduw gehuld.

'Vroeger was het een prachtige tuin,' begon mevrouw Credence weer, maar ditmaal klonk het alsof ze er niet echt zeker van was en ik zei: 'Nu is het een bos.'

'Ik had haar weg kunnen geven,' ging mevrouw Credence verder alsof ik niets gezegd had. 'Er zijn instellingen,' (heel even klonk ze weer een beetje als de raaskallende mevrouw Credence van beneden) 'die haar wel genomen zouden hebben. Maar dat zou zoiets zijn geweest als verráád. Ik bedoel, er waren mensen (een heleboel mensen van de universitéít, het spijt me het te moeten zeggen) die jaloers waren op de intelligentie van mijn vader. Ik zag het al voor me, hoe ze allemaal om hem zouden meesmuilen als we een kind in de familie hadden dat niet helemaal...' Ze zweeg even. 'Ik heb erover gedacht om haar te doden toen ze geboren was,' voegde ze er terloops aan toe. 'Ik had alleen maar een paar minuten lang een kussen op haar gezicht hoeven drukken en alles zou anders zijn geweest. Ik had haar buiten onder de bomen kunnen begraven en niemand zou het ooit geweten hebben. Maar je weet hoe het gaat. Ik was sentimenteel. Ik deed het niet. Nou ja, niet echt vaak en nooit lang genoeg om haar te doden. Alleen maar af en toe, om haar te laten ophouden met huilen. En dus bleef ze leven.' En ze keek eventjes naar Rinda. 'Nou ja, het is een soort leven, nietwaar?'

Door het gebroken raam kwam zwakjes het geluid van verkeer binnendrijven. De stad rekte zich uit en begon daar buiten te spinnen.

'U had het tegen Clem moeten zeggen,' zei ik en het klonk in mijn eigen oren alsof Ginevra sprak. 'Hij had u moeten helpen.'

'Clem,' antwoordde mevrouw Credence. 'Clem! O jee, als ik er ook maar één woord over tegen Clem had gezegd, denk ik dat ik niet eens meer een kerstkaart had gekregen.'

Ze bleef zitten staren, zat nog steeds te mijmeren neem ik aan, haalde draden uit het verleden door haar herinnering, ontwarde ze en zette ze op een rij.

'Ze gaan het postkantoor van Benallan sluiten... míjn postkantoor,' zei ze tenslotte, terwijl ze naar de boomtoppen keek die lichtjes golfden in het briesje. 'Mijn postkantoor. Het is niet zomaar een winkeltje, hóé de regering het opeens ook wenst te noemen. Hoe dan ook, daarom ben ik gisteren vroeger thuisgekomen. Ze kunnen het dak op, dacht ik. Al die jaren en dan opeens een officieel 'Scheer u weg!' Dus heb ik mevrouw Adams opgebeld, die soms voor me invalt, heb haar gezegd dat ik me niet lekker voelde en ben weggelopen. En diep van binnen verwachtte ik bijna dat jij hier zou zijn. Ik heb je vaak genoeg uitgenodigd, nietwaar? Ik bedoel, toen ik die codes met potlood in het verjaardagsboek schreef en je vervolgens vroeg om de studeerkamer schoon te maken, liet ik toen geen aanwijzingen achter, *voor alle zekerheid*? Ik denk haast van wel. Ik geloof – ik geloof het echt – dat ik er genoeg van heb. Ja, dat moet het zijn: ik wilde gewoon dat het eindelijk allemaal voorbij zou zijn.'

'Dat is het portret van mijn zusje daar aan de muur van de studeerkamer,' zei ik. 'Dat schilderij waarvan u zei dat het Jorinda was.'

Ze keek stomverbaasd.

'Je zúsje? Ik vond al dat het een beetje op jou leek.'

'Die foto heeft jaren geleden in de krant gestaan,' zei ik maar ze luisterde niet.

'Ik las over jou... over haar... een paar jaar nadat Rinda geboren was en ik wist onmiddellijk dat dat het portret was van mijn ware kind, het kind dat ik had móéten krijgen. Ik schreef naar de krant en kocht een grote afdruk van die foto (hij ligt nog ergens in een of andere la) maar ik hing de foto niet aan de muur. Dat zou bedrog zijn geweest. Ik schilderde hem na, waardoor hij van mij werd en hing mijn eigen reproductie op. Dat was toch tamelijk eerlijk, vind je niet?' Ze staarde me aan. 'Je zusje!' zei ze verwonderd. 'Geen wonder dat je me zo bekend voorkwam toen je uit de bomen gleed en voor mijn voeten viel. Ik verwachtte bijna dat je misschien wel zou veranderen in de ware Rinda... Jorinda. Je moet thuis tenslotte niet al te gelukkig zijn geweest, waarom zou je anders zijn opgehouden met praten?'

Ik had die vraag nooit echt beantwoord, zelfs niet tegen mezelf... of tenminste, niet echt afdoende. Ik wist alleen dat mijn zwijgen de manier was waarop ik mezelf bijzonder had gemaakt, mezelf macht had gegeven in een gezin waarin iedereen zijn best deed om zijn eigen macht te vinden.

'Niet praten is mijn manier van beroemd zijn,' zei ik, en ik wist, voor het eerst, dat dat waar was. In een gezin dat woorden liet wegvloeien zoals het water verspilde, had zwijgen mij op een andere manier aanzien gegeven. Ik kon Ginevra niet zijn, want die lag al een eind op me voor, en dus was ik het tegenovergestelde van haar geworden. Ik herinnerde me wat Athol over Ginevra had gezegd. Dat gold ook voor mij. 'Ik wilde een tovenares zijn,' zei ik hardop.

Uit het verre gespin van het verkeer, maakte de stem van een afzonderlijke auto zich los. Mevrouw Credence draaide haar hoofd opzij en luisterde. Het geluid stopte en ik geloof dat we allebei even opgelucht ademhaalden in het parelachtige licht van de torenkamer. Maar na een korte stilte begon de motor weer te ronken, écht te ronken. Ver weg klonk een metaalachtig geluid dat het bos van de Schele deed sidderen. En toen kwam de auto aanscheuren over de oprit en zagen we onder de linden flitsen rood op ons afkomen. Onze Volkswagen denderde over de wei en kwam voor de voordeur slippend tot stilstand. Er zat een grote deuk in de ronde voorkant en een van de koplampen was kapot. Een vreemd, gewatteerd, buitenaards wezen met een helm op kwam er aan de bestuurderskant uit gesprongen. Sammy! Ginevra, met gips en al, wurmde zich aan de andere kant naar buiten, ook met een helm op, een zwarte veiligheidshelm, de hoed van een modérne tovenares. Ik nam aan dat haar gebroken arm haar ervan weerhouden had om zelf te rijden, maar ze had Sammy bij de hand gehad om haar te helpen. Ze hadden beslag gelegd op de dichtstbijzijnde auto, waren door Credence Crescent geraasd en hadden halt gehouden bij het ijzeren hek. Ginevra was waarschijnlijk naar buiten gekropen om de roestige ketting te inspecteren waarmee het dicht zat, was toen weer naar binnen gekropen, had de veiligheidsgordel omgedaan, en had Sammy aanwijzingen gegeven hoe hij eerst achteruit moest zetten en vervolgens onze auto recht door het hek moest rijden om het met behulp van haar speciale, vreemde vaardigheden, haar wiskunde – haar toverkracht – te laten openspringen. Onder de linden vandaan kwamen Athol en Mike aanrennen. We hebben gordels achter in de Volkswagen, maar er zullen voor hen wel geen helmen meer zijn geweest en geen speciale opgevulde pakken. Sammy begon te roepen en naar het raam te wijzen waardoor mevrouw Credence en ik naar beneden stonden te kijken.

'Daar zijn ze!' zei mevrouw Credence alsof die woeste vreemdelingen vrienden waren die naar een tuinfeest kwamen. 'Wat is er met die arme jongeman gebeurd? Heeft hij zijn arm gebroken?'

'Dat is mijn zusje!' legde ik uit. 'Degene die u geschilderd heeft.'

En nu maakte mevrouw Credence me weer helemaal opnieuw bang, net nu ik hoop begon te krijgen. Mevrouw Credence begon luid te jammeren.

'Jorinda?' riep ze. 'Wat hebben jullie met haar gedaan, jullie daarbuiten? Wat hebben jullie met dat lieve meisje gedaan?'

'Ze heeft het zelf gedaan,' riep ik terug. 'Ze heeft ervoor gekózen.'

Mevrouw Credence haalde diep adem en wendde zich van het stervormige uitzicht op de buitenwereld af.

'Beloof me dat je hier blijft,' zei ze met een glimlach waarvan je haast zou denken dat ze me erg graag mocht. 'Ik beloof dat ik niemand iets zal doen, als jij belooft dat je hier blijft tot ik ze heb binnengelaten.'

'Goed! Dat beloof ik,' zei ik. Toen deed ze iets op een zo vreemde manier, dat ik de indruk kreeg dat het de eerste keer in hun hele leven moest zijn dat ze het deed. Ze liep naar Rinda toe, die helemaal ineenkromp bij haar nadering. Maar mevrouw Credence gaf haar een vluchtige kus, het soort kus dat je een vreemde geeft uit beleefdheid, ging toen bijna huppelend naar de deur, bleef daar even staan, en knikte naar mij.

'Ik laat mezelf wel uit,' zei ze. Ik luisterde naar haar voetstappen op de trap en naar de stemmen beneden in de tuin. De klik en het zachte geruis van de opengaande deur zweefden door het trappenhuis omhoog.

Ik zwaaide mijn trillende benen de vensterbank op en knielde daar neer om te kunnen zien wat er bij de voordeur gebeurde, en door die beweging tuimelde er een groot stuk glas uit de bovenkant van het kozijn en viel beneden op de stenen te pletter. Sammy, die een eindje bij de voordeur vandaan naar het torenraam stond te kijken, werd er bijna door geraakt.

'Hé! Daar is ze. Daar ís ze!'

Athol verscheen naast hem met zijn handen aan weerszijden van zijn ogen opdat het vroege zonlicht niet in zijn bril zou spiegelen.

'Hero!' riep hij naar boven. 'We komen eraan. We breken de deur open.' Ik geloof niet dat ik al ooit zo'n mengeling van angst en blijdschap in een stem had gehoord.

'Ze komt jullie binnenlaten,' riep ik.

'Hero praat,' hoorde ik hem tegen iemand zeggen en toen keek hij op naar me en schreeuwde. 'Niet meer ophouden hoor!'

Ik hoorde een deur dichtslaan, maar het was niet de voordeur. Het geluid kwam me bekend voor... dat scherpe geluid dat door me heen leek te snijden. Ik herinnerde me dat ik, toen ik afgelopen zaterdagmorgen de oprit op was komen lopen, het dichtslaan van diezelfde deur had gehoord.

'1108! De code is 1108,' gilde ik naar beneden en ik hoorde snelle stemmen en het geluid van de voordeur die weer openging. En toen barstten er meteen allemaal stemmen los in de lucht om me heen, want mevrouw Credence had vannacht de intercom tussen de kamers laten aanstaan, waarschijnlijk om me te kunnen horen als ik probeerde te ontsnappen. 'Wat is hier gebeurd?' hoorde ik Ginevra uitroepen. 'Iemand heeft het hele huis kort en klein geslagen.' En nu, belofte of geen belofte, rende ik naar de torendeur. Belofte of geen belofte, ik struikelde de trappen af en opende de deur naar de gang, waar Mike me onmiddellijk naar zich toe trok en in zijn armen sloot. Nu, met dat hele stel om ons heen – Athol, Ginevra, Sammy – begon ik pas echt serieus te huilen en snel brachten ze me uit de volle gang naar de zitkamer.

Ginevra had gelijk. De hele boel was kort en klein geslagen. Alles wat gebroken kon worden was gebroken, de dierenkoppen waren van de muur gerukt, bladzijden waren uit boeken gescheurd, stoelen waren tegen muren kapotgeslagen. De schilderijlijsten waren nu leeg en helemaal verbogen. De open haard was in zware rouw, volgepropt met vormeloze klonten, zwart verkoold en smeulend. Op het verbrande papier lichtten vluchtig spookachtige woorden op voordat ze vervlogen. In de keuken hing de deur van de koelkast open boven een vloer die bedekt was met plassen melk, sneeën brood en spetters die eruitzagen als bloed, maar die in werkelijkheid jamvlekken waren. De branders op het fornuis waren roodgloeiend en bedekt met fijne witte as.

'Hero! Hero, luister! Sammy zegt dat er iemand vastgeketend zit in de toren,' riep Mike en hij schudde me zachtjes door elkaar, al zag hij er niet bepaald zachtmoedig uit.

'Ja,' riep ik, 'maar niet mevrouw Credence. Die is vast door de achterdeur naar buiten gerend.' En opeens zag ik haar voor me, hoe ze het huis uit vluchtte dat ze in de vroege ochtenduren verwoest had, haar gevangenis ontvluchtte, ontsnapte naar haar bos, haar ware bos, als een betoverde reiziger in *Oude Sprookjes.* Eenmaal daar, zou ze blijven rondzwerven, dieper en dieper die wondere wereld in, terwijl de achterdeur van het huis van de Schele krakend achter haar dichtviel.

Ze was door de achterdeur naar buiten gegaan en ze was dieper naar binnen gegaan, maar niet dieper haar bos in. Mevrouw Credence had het geweer van haar vader van de steunen getild, had het door de keuken meegenomen naar de kleine achtertuin tussen het huis en de stenen muur, en had zichzelf door het hoofd geschoten. Ze had zichzelf uitgelaten.

Dat zou toch genoeg moeten zijn geweest om haar te doden, zou je denken, maar dat was het niet. Ze werd in een ambulance naar het ziekenhuis gebracht, waar ze hard hun best deden om haar in leven te houden. Niet dat ze iets aankon met wat ze in leven hielden. De rest van haar leven lag ze in dat ziekenhuis maar wat naar een wit plafond te staren. Ze lag daar in doodse stilte.

5

Het echte leven

Toen Hero door Edwin Street kwam aanlopen, keek ze verbaasd op naar hun eigen huis. Het verhaal dat de afgelopen drie jaar door haar heen had gestroomd, had opeens weer de wereld om haar heen overspoeld. Maar de gebroeders Brett en de steigers waren allang verdwenen. Die liepen nu waarschijnlijk langs andere ramen, bij andere stripverhalen, naar binnen te kijken. 'Daarom zijn soapseries zo populair,' dacht Hero. 'Het verhaal dat zij vertellen is net een spannende roddel, waar je stiekem naar kunt luisteren zonder je schuldig te hoeven voelen.' Ze dacht aan haar eigen soapserie, het verhaal dat ze gisteravond had uitgeprint. Bijna drie jaar lang had ze geprobeerd er alles uit te halen wat het te vertellen had, maar gisteravond had ze het uitgeprint. Nu werd het niet langer in toom gehouden door het scherm, maar lag het stilletjes onder haar bed – een stapel blaadjes die met zijn fladderende bovenste vellen en zijn krullende randen wel op weg leek te zijn naar zijn eigen vrijheid.

Maar door de jaren heen was één ding niet veranderd. Toen ze op de deur afliep, kwamen heftige stemmen haar tegemoet. Weer gekibbel! Weer geruzie onder elkaar! Daar waren ze allemaal – Mike, Annie, Ginevra, Athol en Sammy, en zelfs de twee kleintjes, Ginevra's Cassie en Annies Toby, die naast elkaar achter de blauwe stoel lagen. In de keuken zag Hero Sap naast de open koelkast staan en melk drinken, zo uit de fles.

'Waarom niet?' riep Annie. 'We kunnen toch plaats maken.'

Maar Mike schreeuwde nog harder.

'Nee!' riep hij uit. 'Nee! Nee! Nee!'

De kleintjes keken om naar de boze stemmen, maar ze waren te zeer gewend aan gekibbel om er zich druk over te maken. Ze begonnen te giechelen en elkaar weg te duwen.

Het leek erop dat Mike nu eindelijk eens voet bij stuk hield. Hero schoof stilletjes de kamer binnen. Sammy haalde zijn wenkbrauwen op en wees zwijgend naar een hoek van de tafel. Verbaasd en met iets wat leek op angst, zag Hero daar een stapel blaadjes liggen, bij elkaar gehouden door een elastiek. Hoewel ze best bereid was te luisteren, en tegenwoordig zelfs deel te nemen aan een fikse familieruzie, verloor Hero opeens alle belangstelling voor wat het ook mocht zijn dat Mike en Annie tegen elkaar te zeggen hadden.

'Mijn verhaal!' riep ze. Voor één keer schonk niemand enige aandacht aan haar. Ze was nu alweer drie jaar aan het praten, en toch had haar stem nog vaak de macht van die van een vreemde.

'Plaats voor eentje meer,' hield Annie aan met een vleiende stem. 'Mike, we zouden er góéd mee doen. Er mag dan van alles mis zijn met ons, maar we zijn een fantastisch gezin. Vooral jij! Plaats voor eentje meer!' zei ze weer alsof ze een toverspreuk uitsprak.

'Ik kan onmogelijk nog fantastischer worden dan ik al ben,' zei Mike. 'Luister, Annie...'

'Als we de studeerkamer veranderen in een slaap-studeerkamer...' onderbrak Annie hem, smekend, niet alsof ze het van hem eiste.

Hero staarde langs hen heen naar haar verhaal. Ze was van plan geweest om het achter in de boekenkast te verstoppen (achter *Het Jungleboek* en *Oude Sprookjes*, misschien) en het dan over een week of twee nog eens te bekijken, met wat meer afstand, misschien. De gedachte was niet bij haar opgekomen dat iemand anders die weerloze bladzijden zou kunnen lezen, voordat ze ze zelf herlezen had en veranderd in iets wat zowel echt als waar was, los van haar eigen schrijverschap.

'Heb ik gezegd dat dat mocht?' riep ze zo hard dat ze wel

móésten luisteren. Mike keek naar haar en toen met een schuldige maar afwezige blik naar de stapel blaadjes.

'Het ging niet met opzet,' zei hij verontschuldigend. 'Ik was nieuwsgierig. Ik vond het onder je bed toen ik aan het stofzuigen was en ik kon het niet laten de eerste bladzijde te bekijken. En toen ik eenmaal begonnen was kon ik niet meer ophouden... en, daar is een gedrukte tekst tenslotte toch voor bedoeld, of niet? Het moet toch je bedoeling zijn geweest dat het gelezen werd.'

Annie keek nu ook naar de bladzijden en vergat haar ruzie met Mike.

'Ik heb het ook gelezen,' riep ze. 'En Hero – je bent een schríjfster. Echt waar.' Ze sprak het woord 'schrijfster' uit alsof ze een grote overwinning aankondigde voor Hero. Terwijl ze het zei stond er van alles op haar gezicht te lezen, verbazing, verrukking en ook iets sluws.

Hero vocht tegen gevoelens van verraad, vermengd met verbazingwekkende blijdschap. Terwijl ze heen en weer geslingerd werd tussen woede en geluk, wendde Annie zich weer tot Mike en haalde diep adem.

'Nee!' snauwde hij.

'Maar je hebt altijd gezegd dat wij met zijn tweetjes alles aankonden, als we het maar echt graag wilden. En dit wil ik heel graag.'

'Ik wéét dat ik dat gezegd heb,' schreeuwde Mike zo boos dat ze abrupt zweeg en met haar ogen knipperde alsof ze tegen een muur was aangelopen. 'En sinds ik dat gezegd heb is alles veranderd. We hebben Hero gekregen, Sap, de twee kleintjes... zelfs Sammy is de helft van de tijd hier.'

'Sor-ry!' zei Sammy.

'Dat is helemaal niet erg, Sam,' zei Mike snel. 'Zo bedoel ik het niet. Maar ik moet wel rekening met je houden. Ruimte voor je maken. Ik kan niet ook nog eens ruimte maken voor Rinda Credence.'

'Ík zou ook een deel van de tijd hier zijn,' riep Annie, alsof daarmee alles geregeld was. 'Als Rinda hier was, hier in huis, zou ik meer thuis werken. Ik zou... nou ja, ik zou hélpen. Ik zou haar in de gáten houden. Ze leert nu praten. Ze gebruikt al een hoop woordenreeksen. Het is fascinerend.' Annie begon over te schakelen op wat Sap haar 'collegestem' noemde. 'We hebben allemaal een of andere taal nodig om helemaal onszelf te zijn. En mevrouw Credence heeft, voor zover we kunnen nagaan, nooit tegen Rinda gesproken. Ze is nooit helemaal zichzelf geweest en nu...'

Ginevra slaakte opeens een gil.

'Je wil een bóék over haar schrijven,' riep ze en barstte in lachen uit, maar niet zo alsof ze vond dat het erg grappig was.

'Waarom níét?' riep Annie. 'Dat moeten we nu juist doen... gebrúík maken van wat ons overkomt. Zorgen dat het iets gaat betékenen.'

'Ja, maar Annie,' begon Mike langzaam, 'wat Rinda Credence nodig heeft – meer dan wát ook nodig heeft – is liefde, dag en nacht, en...' hij zweeg en worstelde met iets binnen in zich. 'Om het nou maar eens recht voor zijn raap te zeggen,' zei hij tenslotte, 'ik zie het absoluut niet zitten. Ik heb nu al meer dan genoeg te doen.'

'Is er iemand die van haar houdt?' vroeg Athol vanaf de zijlijn. 'Kán er wel iemand van haar houden? Als we het nu toch eens recht voor zijn raap zeggen?'

Afgezien van Hero leek niemand deze vreselijke vraag te horen.

'Ze wordt overgenomen door mensen van de afdeling psychologie,' begon Annie. Het klonk een beetje wanhopig. 'Er zijn al aanwijzingen dat dokter Wylie en zijn vrouw haar misschien als pléégkind willen, wat inhoudt dat hij en die student van hem de touwtjes in handen zullen krijgen. Mike, we hebben er recht op om haar het beste te kennen. Als Hero er niet was geweest, zat ze misschien nog steeds aan dat bed vastgeketend. O, waarom niet, Mikie? Ík zou ook hier zijn.'

'Jij zou af en tóé hier zijn,' zei Mike. 'Maar Annie, ze is soms nog incontinent; ze heeft iemand nodig die zijn volledige aandacht aan haar schenkt. En, dat heb ik nu al duizend keer gezegd, we hebben geen plaats.'

'Ze kan mijn kamer hebben,' zei Athol, terwijl hij opstond. 'Het uur van de waarheid! Ik ga het huis uit.'

'Je zit te revelen!' riep Sap ongelovig, terwijl ze in de deuropening naar de keuken verscheen met de melkfles in haar hand. Zelfs Cassie en Toby keken om. Op hetzelfde moment schoot Wind-Jack achter de blauwe stoel vandaan in een poging om zo dicht mogelijk bij de deur te komen. Hij had de pest aan de kleintjes.

Alle anderen staarden Athol stomverbaasd aan.

'Ik ben hier weg,' zei hij snel, voordat Annie iets kon zeggen. 'Het is allemaal geregeld. Ik ga met een beeldschone kunstenares en een experimentele geluidsman in een pakhuis in een armoedig deel van de binnenstad wonen. Zijn jullie niet blij?'

'Maar je scriptie dan?' vroeg Mike. Hij klonk verbaasd en twijfelend. 'Die zit hier in de computer. En je bent nu zo dicht bij het einde dat...'

'Mijn scriptie is gedaan,' onderbrak Athol hem. 'Ik bedoel, mét mijn scriptie is het gedaan. Om je de waarheid te zeggen, ik heb er al in geen tijden meer aan gewerkt. De afgelopen twee jaar heb ik alleen televisiescripts geschreven.'

'Televisiescripts!' riep Annie ongeduldig, terwijl ze haar handen hief en weer omlaag liet vallen. 'Zorg eerst maar eens dat ze er eentje aannemen.'

'Daar heb ik al voor gezorgd,' zei Athol. 'Het heeft een poosje geduurd, maar voor drie ben ik betaald en nu hebben ze me gevraagd of ik er wellicht nog een stuk of zes zou willen schrijven voor de nieuwe serie.'

'De nieuwe serie van wat?' vroeg Annie.

'Wie heeft jou dat gevraagd?' vroeg Mike.

'De producers van *Pharazyn Towers*, antwoordde Athol, terwijl hij zijn ogen dichtkneep en een gezicht trok alsof de hele nieuwe bovenverdieping wel eens op hem neer zou kunnen storten bij het noemen van die naam.

'*Pharazyn Towers*?' schreeuwde Annie. 'Dat verdomde *Pharazyn Towers*?'

'Annie, we leven onze eigen verdomde *Pharazyn Towers*, of iets wat er veel op lijkt,' schreeuwde Athol terug. 'En we moeten gebrúík maken van wat ons overkomt, toch? Zorgen dat het iets gaat betékenen? Hoe dan ook, het heeft zich aan me opgedrongen. Ik heb gewoon mijn ogen dichtgedaan, ben achterover gaan liggen en heb het laten gebeuren.'

'*Pharazyn Towers*,' riep Sap uit. Met de melkfles tegen zich aangedrukt slaakte ze een kreetje van verrukking. 'Dan weet ik er in het vervolg meer van dan alle anderen in mijn klas.'

Annie viel uit tegen Athol.

'Zie je nu wat je gedaan hebt?' zei ze.

'Zelfs als Athol weggaat,' verklaarde Mike, 'geven we zijn kamer niet aan Rinda Credence.'

Hero hoorde alles, maar haar boek, daar op de rand van de tafel, had zijn eigen stem die nog veel hardnekkiger was.

'Vonden jullie mijn verhaal écht goed?' vroeg ze, waarmee ze hen terugbracht naar wat werkelijk van belang was en hen zover probeerde te krijgen dat ze het nog eens gingen prijzen.

'Ik weet zeker dat iemand het zal uitgeven,' zei Annie. Al werden haar gedachten beheerst door haar wens om macht te krijgen over de trage, moeizame vorderingen van Rinda Credence, toch was ze afgeleid. 'Ik stel voor dat ik het strakjes nog eens wat grondiger bekijk... wat suggesties doe. Wat vind jij, Mike?'

'Heb ik de strijd gewonnen?' vroeg Mike, die weigerde zich uit te spreken.

'Ja,' zei Annie gedwee.

'Kijk uit, Mike!' riep Ginevra. 'Ze is haar strijdkrachten aan het reorganiseren.'

'Als het nu rust is, lust ik wel een biertje,' zei Mike.

'Afgesproken!' zei Annie.

Hero pakte haar pak papier op en liep ermee naar boven. Niemand zag haar gaan, behalve Sammy.

Achter de computer in de nieuwe werkkamer was een polaroidfoto tegen de muur gesprikt. Die was genomen in een weekend, twee weken geleden, toen ze een huisje in de bergen hadden gehuurd en waren gaan skiën. Zij en Sammy naast elkaar, maar tegen elkaar aan hangend als een stelletje clowns. Hero grinnikte bij de herinnering. 'Tijd om verder te gaan!' dacht ze. 'Nu heb ik de herinnering aan het huis van de Schele in mijn macht. Ik heb haar in een verhaal veranderd. Het enige wat ik nog moet doen is *Einde* eronder schrijven.

Ze draaide haar stoel naar het scherm en reikte over de computer heen om hem aan te zetten. Hij gaf een klein kreetje, liet getallen en boodschappen langsflitsen om zijn eigen systemen te controleren en zich ervan te verzekeren dat al zijn verschillende geheugens op hun plaats zaten. Tenslotte werd het scherm blauw. Hero raakte eerst een toets aan en toen een andere. De witte letters van haar verhaal sprongen uit het niets te voorschijn. Hero ging naar de laatste regel en bleef ernaar staren. Ze dacht even na. En toen, uiteindelijk, begonnen haar vingers er weer op los te tikken.

Waar

Toen ik aan mijn verhaal begon dacht ik dat het, in wezen, zou gaan over stilte, want alle verhalen, niet alleen het mijne, komen voort uit een soort stilte. Maar nu geloof ik dat het over een totaal ander soort afwijking in de wereld blijkt te gaan, niet over stilte, maar over roem... over het ster-zijn.

Beroemde mensen worden beroemd door op de een of andere manier energie te stelen van de mensen om hen heen. Ik begrijp dat Rappie het ergerlijk vindt als mensen net doen alsof haar ware bestaansreden niet joggen of bridgen is, dingen waar ze plezier in heeft, maar de schoonmoeder van Annie zijn. Of neem nou Cassie! Ze praat goed voor een driejarige, maar de mensen zeggen: 'Natuurlijk. Met een grootmoeder als Annie,' alsof Ginevra niks met haar te maken heeft, of alsof Cassie op zichzelf niets voorstelt. Het maakt Ginevra woedend. Misschien wordt er, telkens als er iemand geprezen wordt, ergens anders iemand over het hoofd gezien.

Ik zei een waar woord tegen mevrouw Credence toen ik haar vertelde dat ik een tovenares had willen zijn; en toen ik het aan haar vertelde, vertelde ik het ook aan mezelf – gaf ik het voor het eerst toe. Mijn stilzwijgen was wat zij die mijn soort stomheid bestuderen *manipulatief* noemen, omdat ik de wereld naar mijn hand wilde zetten. Door mijn zwijgen voelde ik me interessanter dan ik me ooit had gevoeld door iets wat ik gezegd had. Ik kreeg er aanhoudend aandacht door.

En misschien was het voor een deel ook zelfverdediging. Ik geloof dat ik dacht dat ik, als ik mezelf niet in bescherming nam, een geest zou worden die in Annies huis rondspookte, net zoals mevrouw Credence een geest was geworden in het huis van haar vader. Mevrouw Credence kon er niet vandoor gaan en auto's in elkaar rijden zoals Ginevra, of aantekeningen maken van familieruzies en die gebruiken in een geheime soapserie zoals Athol, en ze koos niet, zoals ik, de stilte. In plaats daarvan werd ze een marionet van haar vaders roem en die roem was niet alleen de hand die de touwtjes vasthield. Hij was ook de mond... een mond met tanden... die in het begin voor haar sprak, maar die zich uiteindelijk tegen haar keerde en haar oppeuzelde. Bij Annie was het zo dat ze, hoezeer ze er ook van genoot beroemd te zijn, toch altijd haar roem heeft willen delen – altijd gewild heeft dat we nog lang en gelukkig zouden leven, badend in haar eigen bijzondere zonneschijn.

Maar zo makkelijk is dat niet. Misschien is er wel maar net genoeg licht en warmte voor iedereen en verbruiken mensen als Annie, of ze dat nou willen of niet, het deel van een ander. Soms lijkt het wel of ze, alleen door beroemd te zijn, andere mensen minder echt maken – minder waar.

Als alles er eerlijk aan toe zou gaan, zouden alle verhalen anoniem zijn. Ik bedoel niet dat de verhalenverteller niet betááld zou worden voor zijn verhaal. Maar er zouden geen namen staan op omslagen van boeken, of geen interviews op de televisie zijn... alleen het verhaal zelf, dat over muren klimt, van de ene boom naar de andere glijdt, en stilletjes door de bossen van de wereld sluipt, echt, maar meer dan echt. Bevrijd van de gebreken die samengaan met de naam van zijn schrijver. Waar gemaakt! Maar natuurlijk gaat niet alles er eerlijk aan toe. Dat is ook nooit zo geweest.

Dus tegenwoordig praat ik net als iedereen – stel vragen en beantwoord ze, geef commentaar en beschrijvingen, maak grappen. Ik heb de stilte als mijn manier van magisch zijn bijna opgegeven. Het zou me misschien zelfs lukken om een boek uitgegeven te krijgen, een boek met mijn naam op het omslag. Annie zei het net zelf. Maar toen ik haar dat hoorde zeggen, realiseerde ik me dat er een ander soort stilte, magischer nog dan de eerste, in mij geboren werd.

Ik ga mijn verhaal nu afmaken.

Ik heb net afscheid genomen van mijn bos. Mevrouw Credence is een paar weken geleden overleden en het huis van de Schele en zijn bos zijn verkocht aan projectontwikkelaars die van plan zijn op het land van Credence een moderne stadswijk te bouwen. De afgelopen dagen heb ik kettingzagen tussen die oude bomen horen krijsen. De opbrengst van de verkoop is bestemd voor Rinda, omdat het veel kost om voor haar te zorgen. Ze is een klassiek voorbeeld van een *closet child*, het soort kinderen dat wordt gevonden nadat ze jarenlang opgesloten hebben gezeten in een kast of op een zolder, verborgen voor de wereld. Dove mensen zijn geen closet children. Zij maken contact met de wereld. Zij hebben hun eigen echte taal. Maar het enige wat Rinda al die jaren in haar kamer gezien had waren een wit raam en witte muren. Mevrouw Credence voerde haar, maar ik denk dat ze zelfs dan haar gezicht een beetje afgewend hield.

De afgelopen drie jaar heeft een vrouw die Sally Eddington heet voor Rinda gezorgd en haar beschermd voor de specialisten die haar bestuderen. Maar Sally is vorige week gevallen en het zal maanden duren voordat ze weer sterk genoeg is om voor Rinda te zorgen, want Rinda kan moeilijk zijn. Ze is erg sterk geworden. Ze schreeuwt nu met een stem en ze huilt tranen. Als er iets is wat haar stoort of bang maakt plast ze in haar broek. Iemand zal voor haar moeten zorgen, vandaar die grote ruzie beneden.

En anderen hebben mijn verhaal gelezen. Annie wil het redigeren en naar een uitgever sturen. Ze is hartstikke blij met me. Eindelijk ben ik wat ik zou moeten zijn... Eindelijk, denkt ze, zal ik mijn ware zelf zijn.

Ooit had ik de gewoonte om *Oude Sprookjes* te pakken, mijn ogen dicht te doen, mijn vinger blindelings op een regel te laten neerkomen, en vervolgens opeens mijn ogen open te doen zodat ik kon lezen wat het noodlot me te zeggen had. *Vertel je zorgen aan de oude haard in de hoek*, las ik, want het ware leven is tijdloos en het verhaal wist al wat er vóór me lag. En als het verhaal je een goede raad geeft, kom je er niet onderuit. Dan moet je die opvolgen.

Echt

Hero keek naar wat ze op het scherm had gezet, maar ze printte het niet uit. In plaats daarvan pakte ze haar dikke manuscript op, woog het in haar handen en liep er toen mee naar de houtkachel op zijn vierkant van donkerblauwe tegels. Ze deed het zwarte deurtje met het ruitje open, duwde het pak papier erin, en wendde haar hoofd af, misschien om ervoor te zorgen dat ze zeker niet in de verleiding zou komen om het er snel weer uit te grissen. Er kwam opeens een dikke rookwolk uit de kachel, die niet meteen opsteeg, maar omlaag welde. De bladzijden zaten te dicht op elkaar gepakt om makkelijk te branden, maar toen ze er, hoestend en de rook met haar linkerhand bij haar gezicht vandaan waaierend, met de pook in porde, begonnen ze aan de randen te smeulen. Ze pookte de blaadjes zo goed mogelijk uit elkaar. Een paar vatten vlam; andere volgden. Toen ze het deurtje van de houtkachel dichtdeed, lag haar verhaal te brullen als een leeuw in de lange keel van de kachelpijp.

En zo stond Hero daar te luisteren naar haar eigen leeuw en naar de vagere stemmen van haar familieleden die de trap op kwamen. Ze stelde zich voor dat haar verhaal omhoog sprong, de lucht in, dat het zijn manen van rook schudde en zich dan langzaam oploste boven de stad, waardoor het niet één, maar een heleboel verhalen werd.

Tenslotte liep ze terug naar de computer waar de laatste en enige versie van haar verhaal op stond, zilverwit op een scherm met de kleur van een zomerhemel.

'Hero! We gaan eten!' riep Mike naar boven.

Met een zo diepe zucht dat het haast een kreun was, drukte Hero een toets in op het toetsenbord. Het tekstverwerkingsprogramma stelde haar een vraag.

'VERWIJDEREN?' vroeg het met witte letters onder aan het scherm. 'J/N?'

Hero drukte op de 'J'.

Eventjes gebeurde er niets. Toen verdwenen de woorden plotseling van het scherm en lieten niets dan blauw achter. Hoe vaak ze dit ook al had zien gebeuren, toch schrok Hero even van die plotselinge verdwijning. Haar verhaal was weg-verteld en verdwenen. Het zou nooit meer gevonden worden. Hero staarde ernstig naar het blauw en begon toen langzaam te glimlachen om opnieuw haar oude vriend stilte te verwelkomen, de stilte die opnieuw was uitgevonden, opnieuw in bezit genomen en magisch.

'Hai,' zei een stem. Sammy stond in de deuropening. 'Die familie van jou! Wat een stel! Maar ik geloof dat je ouwe heer het meent. Geen Rinda Credence in dit huis. Slam dunk!' Hij zag dat ze naar het lege scherm stond te staren. 'Ik dacht dat je daarmee klaar was.'

'Ben ik ook,' zei Hero.

'Ben je erachter wat het allemaal te betekenen had?' vroeg Sammy.

'Min of meer,' antwoordde Hero lachend. 'Ik heb een heel boek geschreven.'

'Te gek, Hero-man!' zei Sammy. 'Dat is dus een Hero-roman,' voegde hij eraan toe. 'Zie je? Ik ben ook al besmet met de Rapper-familieziekte. Nu word ik een verschoppeling.'

'Het komt niet alleen door ons,' zei Hero. 'Het zijn de woorden zelf. Daar had je allang voordat je bij ons kwam iets mee, verschoppeling.'

Sammy kwam achter haar staan.

'En...?' vroeg hij en trok met zijn vinger een streepje langs haar nek omlaag. Hero voelde haar adem stokken. Ze verloor de macht over de ademteug die ze net aan het inademen was, liet hem voor wat hij was en begon maar aan een volgende.

'Ik zit maar wat! Ik zit te luisteren!'

'Luisteren?' vroeg hij. 'Er is niks te horen. Kap ermee. Kom op, wegwezen.'

Terwijl hij het zei, hoorde Hero van ver weg iets wat leek op een schreeuw. Het gebulder van het vuur dat achter haar vlijtig het papier verslond, slokte het geluid op, maar het was geen denkbeeldige echo van de schreeuwen van Jorinda Credence. Het was de kreet van een verre kettingzaag die proefdraaide. Toen ze opstond, keek Hero snel even door het lange raam over de andere daken van Benallan, naar de groene lijn van het bos van Credence. Ze moest weer denken aan mevrouw Credence, die het verhaal van Jorinda had voortgezet met haar eigen verhaal... een verhaal waar echte gebeurtenissen doorheen kronkelden als donkere slangen door een tuin. Hero dacht dat ze het bos kon zien beven net zoals zijzelf ooit had staan beven, toen ze aan de beschaduwde rand had gestaan.

Naast haar begon Sammy te dansen.

'*Schrijven, luisteren, hou er eens mee op*
Het leven is meer dan alleen getob
Kom naar beneden, eerst een hapje eten
En dan lekker rennen, de hele zooi vergeten
Wij rappen dit verhaal uit, en laat de rest maar hier
Wij worden wel beroemd op onze eigen manier.'

'Oké, maar eerst eten,' zei Hero. Toen zette ze de computer uit en stommelden ze samen de trap af.

'Waar gaan jullie naartoe?' vroeg Mike, zo onverschillig dat iedereen wist dat hij met gespitste oren op het antwoord wachtte.

'Hé,' zei Sammy. 'Waar maak je je druk om? Denk je soms dat ze me zwanger zal maken?'

'Zo kan die wel weer!' riep Ginevra met een verschrikt gezicht uit.

'Aha!' zei Annie triomfantelijk tegen haar. 'Wacht maar eens tot je erachter komt hoe móéilijk het allemaal wel is.'

'Ze is oud genoeg om een vriendje te hebben,' riep Sap. 'Ik heb er twee... allebei kanjers.' Ze rolde met haar ogen en grinnikte.

Hero keek naar Sammy.

'Bij mij is hij veilig,' zei ze snel. 'Trouwens, hij zei dat het eten klaar was.'

'Het is alleen maar soep,' zei Mike. 'Maar wat voor soep! Pak een kom en schep op.'

Dus pakten ze allebei een soepkom.

'We gaan een paar rondjes lopen in het park,' legde Sammy Mike op verzoenende toon uit. 'We gaan aan onze conditie werken zodat we echt fit zijn voor die winterloop op Queen's Birthday.'

'Al dat geren!' lachte Mike hoofdschuddend.

'Het is heerlijk,' zei Sammy. 'Als je een beetje op snelheid bent, kun je een heel eind op de rest voor blijven. Niemand kan bij je in de buurt komen, man.'

En even later jogden Sammy en Hero naast elkaar door Edwin Street. Het vuur in de kachel boven lieten ze achter om zijn feestmaal te verorberen en om, na beëindiging van de maaltijd, een eigen stilte te vinden.